«SAGGI»

D1202509

Dello stesso autore
(anche in ebook)

CARAVAGGIO SEGRETO

COSTANTINO D'ORAZIO

LA ROMA SEGRETA DEL FILM
LA GRANDE BELLEZZA

Sperling & Kupfer

LA ROMA SEGRETA DEL FILM *LA GRANDE BELLEZZA*

Proprietà Letteraria Riservata
© 2014 Sperling & Kupfer Editori S.p.A.

ISBN 978-88-200-5692-6
71-I-14

II EDIZIONE

Pagina facebook: laromasegretadelfilmlagrandebellezza
Sito web ufficiale: www.thegreatbeautyrome.com

Il simbolo ▶ rimanda alle immagini contenute nell'inserto fotografico.

Le fotografie dell'inserto sono dell'autore.

Realizzazione editoriale a cura di studiobajetta.

Le fotocopie per uso personale del lettore possono essere effettuate nei limiti del 15% di ciascun volume/fascicolo di periodico dietro pagamento alla SIAE del compenso previsto dall'art. 68, commi 4 e 5, della legge 22 aprile 1941 n. 633. Le fotocopie effettuate per finalità di carattere professionale, economico o commerciale o comunque per uso diverso da quello personale possono essere effettuate a seguito di specifica autorizzazione rilasciata da CLEAREdi, Centro Licenze e Autorizzazioni per le Riproduzioni Editoriali, Corso di Porta Romana 108, 20122 Milano, e-mail autorizzazioni@clearedi.org e sito web www.clearedi.org

Indice

Una città da Oscar

Il premio Oscar a Paolo Sorrentino ha scatenato una vera e propria grandebellezza-mania: commenti e critiche al film hanno invaso i social network, i tour alla scoperta dei luoghi del film sono ormai richiestissimi dai viaggiatori di mezzo mondo, famiglie e amici si sono divisi tra sostenitori e detrattori del lungometraggio. C'è un punto, però, sul quale *La Grande Bellezza* mette tutti d'accordo: lo stupore di fronte alla meraviglia e al fascino di Roma.

Lo sguardo di Sorrentino, esigente e ricercato come quello di Raffaello e Michelangelo, racconta una città sconosciuta, entra nei saloni affrescati dei palazzi principeschi, penetra nelle pieghe dei marmi barocchi ed esalta una città che seduce il mondo intero da oltre duemila anni. Il regista non cade nel pericoloso cliché dei panorami da cartolina, che aveva trascinato nell'ovvio *To Rome with love* di Woody Allen, ma riesce a esplorare parti del patrimonio artistico capitolino note soltanto ai più esperti storici dell'arte.

Lo sguardo del regista, alla ricerca costante di inquadrature simmetriche e «tonde», si adatta alla perfezione a certe architetture classiche romane, come la Fontana dell'Acqua Paola o il Tempietto del Bramante. Nonostante questi luoghi siano presenti su tutte le guide turistiche, Sorrentino riesce a esaltarne angoli e prospettive inedite.

Di fronte al capolavoro di Bramante non si accontenta di descriverne le colonne doriche e il perfetto equilibrio delle proporzioni, ma apre la porta del tempio, di solito sempre chiusa, per mostrarne l'interno. Anzi, grazie a un vero colpo di genio, scende perfino nei suoi sotterranei. Del Fontanone sfrutta l'aula interna e la terrazza, dove si svolgono solo d'estate certi spettacoli, per collocarvi un coro celestiale. Il suo scopo è quello di scartarsi sempre dalla banalità, che a Roma ti attende dietro ogni angolo. I saloni maestosi di Palazzo Sacchetti, dove abita Viola (Pamela Villoresi) e i velluti nostalgici di Palazzo Taverna, dove è allestito il museo dei principi Colonna di Reggio: sono luoghi in cui si respira un tempo eterno, sempre uguali a se stessi per secoli, ancora abitati dalle famiglie che contribuirono a costruirli. Anche quei posti che i romani credono di conoscere benissimo appaiono completamente trasfigurati: si fa una certa fatica a riconoscere il *Galata morente* dei Musei Capitolini o il gruppo dei *Niobidi* di Villa Medici. Veniamo spogliati della nostra presunzione di esperti e recuperiamo lo stupore dei bambini. Di fronte a un'opera notissima come la prospettiva di Borromini a Palazzo Spada, il film adotta il punto di vista divertito di Ramona (Sabrina Ferilli), che nella sua ingenuità coglie il segreto del gioco barocco.

Si sente il frutto di una certa ricerca, un impegno del regista a voler raccontare Roma nel modo più originale possibile. Da questo punto di vista, il film sembra costruito su due binari paralleli: la grande bellezza della Città Eterna si coglie soltanto quando questa appare deserta, durante le passeggiate notturne di Gambardella o nei ritorni a casa sul fare dell'alba. Visti così, anche i muraglioni del Tevere, spesso abbandonati e sporchi, si trasformano in oasi di intima riflessione. Non appena però nel film spuntano delle persone, note o sconosciute al protagonista, entra in scena la volgarità. I romani non sanno più apprezzare la bellezza che li circonda. Sono talmente abituati ad averla intorno che non se ne accorgono più. I romani cafonal, ignoranti, disperati, non meritano affatto l'eredità che la storia ha loro riconosciuto.

Meglio, allora, raccontarla agli stranieri, che in ogni parte del mondo hanno dimostrato di saperla apprezzare molto di più.

La bellezza,
dove meno te l'aspetti

Non basta essere competenti storici dell'arte
per descrivere i luoghi in cui Paolo Sorrentino
ha ambientato le splendide scene del suo film
La Grande Bellezza. Bisogna conoscere la città
in profondità e aver esplorato alcuni tra i suoi
angoli più segreti e riposti, che spesso non appaiono neanche sui libri.

Per vent'anni, io non ho fatto altro.

Ho cercato le chiavi per aprire palazzi privati,
sotterranei, chiese, monasteri e ville che la storia
ha messo nelle mani di proprietari illuminati e
istituzioni prestigiose. Sono spesso luoghi in
cui si abita, si lavora e si custodiscono tesori
preziosi, circondati da meravigliosi capolavori,

che non possono essere mostrati regolarmente perché non si tratta di musei o parchi pubblici. Nel 2010 ho raccolto novantanove di questi siti in un libro, rivelando anche il sistema per ottenere il permesso di visitarli, i numeri di telefono dei proprietari, gli indirizzi email a cui scrivere, i suggerimenti per schiudere le porte, anche quelle che sembrano impossibili. Si intitola *Le chiavi per aprire 99 luoghi segreti di Roma* (Palombi Editori).

Per una strana e affascinante coincidenza, quell'idea è entrata all'interno del film. Non soltanto come suggestione, ma in un passaggio ben preciso. Durante una festa, Jep Gambardella incontra Stefano e gli chiede se «ha sempre la borsa con sé». Una valigia preziosa come quella di un prestigiatore, che contiene le chiavi «dei più bei palazzi di Roma». Stefano è amico delle principesse che ancora li abitano e conduce Jep e Ramona in un'esplorazione notturna meravigliosa, tra statue, stucchi e giardini segreti. Esattamente come faccio io.

È venuto allora naturale pensare di svelare al pubblico quali siano i luoghi in cui Sorrentino ha collocato i suoi sperduti e malinconici personaggi. Nessuno è ricostruito in un teatro di posa. Tutti sono scrigni di capolavori, pezzi unici di una città che il mondo ci invidia.

Se William Wyler nel 1953 con il film *Vacanze romane* ha mostrato al mondo per la prima volta le piazze più belle di Roma e ha reso internazionale il rito della mano nella Bocca della Verità, se Federico Fellini coglie un certo carattere indolente e sognatore dei romani ne *La dolce vita*, trasformando la Fontana di Trevi in un luogo mitico, e Woody Allen cade negli stereotipi del turista più pigro e disinteressato, Sorrentino racconta invece l'anima di Roma dal profondo. Non solo quella tendenza al cinismo che annacqua i rapporti umani di Jep Gambardella, ma l'incapacità di sorprendersi di fronte allo scenario più prezioso del mondo, creato grazie alla passione e al talento di generazioni straordinarie, capaci di inventare e costruire quella bellezza che oggi molti romani non sanno più apprezzare. Questi luoghi mostrano il loro lato migliore quando sono deserti, all'alba o nel cuore della notte, durante le passeggiate a cui il protagonista si abbandona. È sorprendente come Sorrentino sappia mescolare luoghi, dettagli e punti di vista che sullo schermo sembrano coerenti e consequenziali, mentre nella realtà sono distanti e appartengono ad ambienti completamente diversi. Il giardino del palazzo di Jep non si apre davvero sotto il suo terrazzo, il portone della residenza dei principi Colonna di Reggio non dà accesso all'appartamento che la principessa attraversa nella scena seguente, l'esplorazione guidata da Stefano termina in un parco che non si può percorrere nella direzione indicata dal film.

Il regista intreccia saloni, confonde parchi e paesaggi, inventa percorsi immaginari che in questo libro vengono ricostruiti e raccontati, come fossero un labirinto in cui si perde facilmente l'orientamento. È una guida sentimentale della città attraverso le immagini del film.

Roma è la protagonista assoluta. Archeologica, barocca e moderna. Al tramonto, di notte e all'alba. Una città dove «ci può essere bellezza dappertutto. E quando meno ce lo aspettiamo».

Sul Gianicolo

La prima inquadratura del film disegna sullo schermo un cerchio perfetto. Un veloce movimento di macchina all'indietro rivela che si tratta della bocca di un cannone.

«BUM. Fumo e una gran botta. All'unisono... È mezzogiorno, e Roma adesso lo sa», recita la sceneggiatura.

È dal 24 gennaio 1904 che tutti i giorni puntuale quel cannone a salve segna il rintocco della *mezza*, come amano dire i romani. Lo sparo è così netto e forte che in giornate particolarmente silenziose si avverte anche dall'altra parte della città, sull'Esquilino, il colle che chiude Roma a est. È un rito unico al mondo, che quotidianamente i soldati dell'esercito officiano con rigore e attenzione degni di una delicata operazione militare. Papa Pio IX introduce questa usanza già nel 1847 – all'epoca si sparava da Castel Sant'Angelo – per fornire ai sagrestani delle chiese di Roma un segnale preciso sul quale accordare le campane della città all'unisono. Una trovata spettacolare per rimettere un po' d'ordine nelle giornate dei romani, inclini per natura a una certa confusione e pigrizia. Oggi il colpo coglie ancora di sorpresa gli abitanti di Trastevere, divertendo frotte di turisti che si affacciano per vederlo in diretta dalla terrazza del Gianicolo posta subito sopra la bombarda. ▶

Un piccolo applauso accompagna lo sparo, mentre la macchina da presa si alza sopra il parapetto – che un tempo apparteneva al basamento del Casino Riario, oggi scomparso – per esplorare la cima del colle, dove arriva la Passeggiata più famosa del Risorgimento. È qui che nel 1849 i repubblicani mettono sotto assedio i Palazzi Vaticani, senza successo. Le imponenti mura difensive che dal Seicento costeggiano questo viale, volute da papa Urbano VIII per proteggere la Città Eterna da ovest, rallentano anche l'ingresso delle truppe sabaude, che riusciranno a entrare a Roma soltanto dieci anni dopo, aprendo una breccia nella parte opposta della città. All'epoca il Gianicolo era una zona di campagna, costellata di villini e orti, che il nuovo Stato, dopo l'Unità d'Italia, deciderà di dedicare alla memoria dei protagonisti delle imprese risorgimentali. Goffredo Mameli, autore dell'*Inno d'Italia*; Carlo Pisacane, il primo a tentare l'unificazione dello Stivale a partire dalla Sicilia; Nino Bixio, celebre condottiero delle guerre d'Indipendenza: i loro busti vengono collocati qui già durante la Repubblica Romana del 1849. Poi il papa rimuove quelli degli atei e conserva quelli che non disturbano la sua vista. Bisognerà aspettare gli anni Ottanta dell'Ottocento per rimettere in piedi tutti questi ritratti. Oggi sono 228 le statue dei patrioti che fiancheggiano il viale: nel film, Sorrentino li accosta per contrasto a una galleria di derelitti che oggi vivono all'ombra di quei platani e accompagnano i turisti nell'enorme piazza su cui si staglia il monumento equestre a Giuseppe Garibaldi, eretto nel 1895 dallo scultore Emilio Gallori. ▶

L'eroe dei due mondi è celebrato esattamente come un condottiero dell'antichità, mentre scruta

Roma con sguardo assorto in groppa al suo cavallo. Fin dalla creazione della statua di Marco Aurelio sul Campidoglio, unico monumento equestre in bronzo giunto intatto dall'epoca dell'Impero, i più illustri signori d'Italia e d'Europa si sono sempre fatti ritrarre in questa posa: stessa sorte tocca anche all'eroe in giubba rossa, malgrado lui non abbia mai voluto essere trattato come leader politico e abbia rifiutato il potere che il popolo gli avrebbe volentieri concesso dopo le sue grandiose imprese.

Sulla base della statua, il regista riprende un reduce di guerra mentre osserva la scritta che ricorda una celebre espressione garibaldina: «Roma o morte». Pare che il condottiero l'abbia gridata a Marsala nel 1862 per incoraggiare le proprie truppe all'inizio dell'incredibile campagna militare che avrebbe portato alla creazione del Regno d'Italia.

Nel film queste parole si trasformano in un brutto presagio.

All'improvviso, una musica celestiale prende il posto dei rintocchi che salgono dai campanili di Roma e si intreccia allo scroscio di una fontana monumentale. È la Fontana dell'Acqua Paola, ▶ a pochi metri dalla statua di Garibaldi: qui un coro di voci femminili canta *I lie* di David Lang, che rimbomba all'interno degli archi da cui gli zampilli si tuffano nella grande piscina semicircolare. Fedele al solito gioco di contrasti, Sorrentino rompe quel suono cristallino con la voce roca e un po' sgraziata di una guida turistica che ripete la sua pappardella sul monumento in un giapponese «fortemente condizionato da una spiccata cadenza romanesca». La grande bellezza di Roma, le sue architetture e opere d'arte vengono continuamente deturpate dalla volgarità degli uomini che le abitano: è il filo conduttore del film.

Il Fontanone è il punto terminale, la cosiddetta «mostra», dell'acquedotto costruito dall'imperatore Traiano all'inizio del II secolo d.C. e poi riattivato nel 1612 da papa Paolo V Borghese, grazie all'opera di Giovanni Fontana e Flaminio Ponzio. L'imponente struttura idrica, lunga oltre 57 chilometri, aveva il compito di fornire acqua potabile alla zona di Trastevere, portandola dal lago di Bracciano. Danneggiato e ricostruito a più riprese fin dal Medioevo, soltanto nel Seicento l'acquedotto viene ripristinato in modo definitivo grazie all'intervento del pontefice, che così può anche comodamente disporre di abbondante acqua corrente per irrigare i meravigliosi Giardini Vaticani. L'operazione si trasforma nell'occasione per commissionare un'originale opera architettonica, che ancora oggi celebra l'arrivo dell'acqua sul Gianicolo in modo spettacolare. Con il marmo del Foro Romano Paolo V realizza cinque archi, separati da colonne in granito giunte direttamente dalla facciata dell'antica Basilica di San Pietro, che all'epoca era in totale rifacimento. Senza preoccuparsi del furto ai danni di celebri monumenti del passato, il pontefice continua l'opera di «spoliazione» delle antichità di Roma che già da diversi secoli i suoi colleghi avevano inaugurato. Un'abitudine consolidata, che oggi stentiamo a comprendere. ▶

Dalla terrazza di fronte alla fontana si gode una delle viste più ampie di Roma. Un panorama mozzafiato, bagnato dalla cocente luce di un mezzogiorno estivo. Vittima del caldo (e forse anche della bellezza della città), un turista giapponese stramazza al suolo mentre sta scattando delle foto. Il canto si interrompe di colpo, l'atmosfera celestiale cede il passo alla cruda realtà.

«L'ultima immagine della scena è per Roma, lì dietro, ferma e assolata, monumentale e bellissima. E insensibile.»

Le terrazze

DAL solleone di mezzogiorno, Sorrentino ci porta direttamente nel cuore delle notti estive, quando tornano ad animarsi le celebri terrazze della capitale. Già Bernini nel Seicento sottolineava come Roma offrisse una quantità infinita di scorci e vedute dall'alto grazie ai vicoli che si inerpicano sui sette colli e grazie ai tetti dei palazzi che si innalzano sul centro storico. Il regista non si lascia sfuggire questa possibilità e racconta con sguardo attento e severo la città attraverso i party di quei romani che amano incontrarsi negli attici appena torna il caldo umido dell'estate. Sono in particolare due le terrazze che appaiono nel film ed entrambe si affollano soprattutto di notte.

La prima ospita la sballata festa di compleanno di Jep Gambardella, che a sessantacinque anni ama ancora circondarsi di personaggi ai limiti della decenza. Donne volgari e mezze nude, incuranti dei segni che il tempo ha lasciato sul loro corpo, cubiste anoressiche scatenate nei balli più sfrenati, giovani dai muscoli scolpiti che amoreggiano con signore dalle labbra gonfie e i seni rifatti. C'è di tutto nel repertorio di mostri, nani e ballerine che anima le notti romane di Jep. E Sorrentino non teme affatto il rischio di farne delle vere e proprie caricature. Questi cafoni moderni si muovono al ritmo delle hit più aggiornate, pigiati nella terrazza di un edificio d'epoca fascista all'angolo tra via Bissolati e via Sallustiana. ▶

Ci troviamo nei pressi di via Veneto, ma in realtà in questo caso il regista non sembra molto interessato a raccontare il contesto urbano. A volte i romani sono talmente abituati alla bellezza che li circonda da non accorgersene. Il privilegio di vivere nella città più bella del mondo serve soltanto a viziarli e a renderli indifferenti di fronte alle meravigliose opere d'arte intorno a loro. La scena è completamente concentrata sulla terrazza, dove la cinepresa si muove a stretto contatto con i volti e i corpi dei personaggi. Si intuisce soltanto che si tratta di un ambiente moderno, disegnato alla fine degli anni Trenta del Novecento lungo linee parallele e angoli a novanta gradi, tra muri grigi, pareti trasparenti e ciottoli bianchi sul pavimento. Il tutto è reso più moderno e design da luci al neon e divani luminosi. Nel buio della notte, sullo sfondo campeggia un'enorme scritta luminosa: MARTINI. Non è una trovata registica, ma una pubblicità che da oltre quarant'anni resiste al progresso sopra quel tetto e segna davvero lo skyline della zona. ▶

Di questa scena psichedelica e sfrenata resta sulla memoria dello spettatore soltanto l'ultima sequenza, quando, a festa ormai finita, Dadina, la direttrice nana del giornale, si aggira sperduta nella terrazza deserta dietro la quale si staglia un cielo mozzafiato che albeggia sull'Appennino in lontananza. Neanche a quell'ora, storditi dall'alcol e dalla droga, i romani si accorgono della bellezza di Roma e dei suoi paesaggi.

Sorrentino porta all'estremo questa situazione quando sposta il set sulla terrazza privata di Jep, che dà sul Colosseo. Ci troviamo all'estremità nord del rione Celio, sorto come entità urbanistica soltanto nel 1870, dopo la conquista di Roma da parte delle truppe sabaude. Con la decisione trasformare la città in capitale del nuovo Stato italiano, il governo definisce un nuovo Piano Regolatore che interviene in modo pesante su questo territorio. Fino a quel momento, su questo piccolo colle si aprivano vigne o monasteri, come Villa Casati o la Basilica dei Santi Quattro Coronati, che in parte spariranno o saranno ridotti per lasciare il posto a nuovi edifici a uso e consumo della nuova borghesia che si stabilirà a Roma. Inizia così una speculazione edilizia che andrà avanti fino agli anni Sessanta del secolo successivo e circonderà con palazzi e uffici la Basilica di San Clemente, il complesso dei Santi Giovanni e Paolo e Santo Stefano Rotondo, alcuni dei luoghi più suggestivi ancora visibili nei pressi dell'edificio in cui abita Gambardella.

Incastonato tra i pini del Celio e l'Anfiteatro Flavio, l'appartamento dello scrittore si apre all'ultimo piano di un palazzo degli anni Venti, a cui un recente restauro ha restituito un intonaco rosso che si infuoca alla luce del tramonto. ▶

Malgrado si affacci su una delle strade più trafficate di Roma, quassù il rumore della città non arriva e lo splendore del paesaggio archeologico giunge intatto e limpido. È incredibile che, per tutto il film, nessuno si soffermi a guardare la città da questa terrazza, né senta il bisogno di commentarne la strepitosa posizione: i monumenti che ogni anno richiamano milioni di turisti da tutto il mondo restano sullo sfondo, silenziosi e «normali» come un qualsiasi panorama cittadino.

E invece da un lato la casa di Jep guarda le rovine del Tempio del Divo Claudio, che nel I secolo sorgeva in cima al colle Celio, dall'altro la valle del Colosseo. Il santuario sul colle era stata un'idea di Agrippina, moglie e nipote dell'imperatore Claudio, che voleva così perpetuare la memoria del suo consorte e forse lavarsi la coscienza per aver organizzato il suo omicidio. ▶

In fondo, Claudio era arrivato al potere quasi per caso: infermo e claudicante (da qui il suo nome), aveva dovuto aspettare la morte di Caligola per diventare imperatore, alla veneranda età di quarantasei anni, perché era rimasto l'unico maschio adulto della sua dinastia. Eppure la sua maturità gli permette di dimostrarsi un governatore attento, un legislatore accorto e un intelligente stratega. Ma troppo indipendente. Agrippina sceglie allora di farlo fuori per mettere sul trono il figlio, Nerone, e reggere l'impero prima che il ragazzo abbia l'età giusta per governare. Tanto forte era la necessità di cancellare la sua congiura, che la donna finanzia la costruzione di uno dei templi più imponenti dell'antichità. Innalzato su una piattaforma di quasi quarantamila metri quadrati, il tempio era sorretto da strutture in mattoni che servivano a contenere il colle e a reggere le arcate dagli enormi blocchi di marmo. Sono le pareti che ancora costeggiano la via Claudia e si scorgono dalla terrazza del nostro Jep, tracce di un passato andato velocemente in rovina. Solo dieci anni dopo la sua costruzione, l'opera viene danneggiata dal celebre incendio di Roma del 64 d.C. e non sarà mai più restaurata completamente. Servirà da ricovero per gli animali che Domiziano farà esibire nel Colosseo e da fondamenta per i numerosi conventi e luoghi di culto cristiani che nasceranno sul Celio nel Medioevo.

Malgrado abbia goduto di una vita molto più lunga, anche il destino del Colosseo subisce nei secoli bruschi cambi di rotta. Dalla terrazza di Jep si gode un punto di vista davvero inedito: il lato sud, che dà un'idea precisa delle ferite del tempo. ▶

Da qui si vede bene la zona nella quale manca al monumento il cerchio più esterno, crollato durante i terribili terremoti del 1634 e del 1703. Ne ha fatto le spese la parte più «sfortunata» dell'edificio, quella eretta su un terreno più accidentato e fragile, che non ha retto alle scosse. Il settore costruito su un suolo più morbido, invece, ha resistito e ancora oggi si erge in tutta la sua ineffabile bellezza. Ai fenomeni naturali si sono aggiunti i furti di materiale, marmo e bronzo, che hanno interessato la struttura fin da quando il Colosseo ha perso la sua funzione di luogo di spettacoli e lotte tra gladiatori e animali feroci. Tutto era iniziato nell'80 d.C., grazie ai cento giorni di giochi indetti dall'imperatore Tito, ed era continuato per oltre quattrocento anni. Poi i *ludi* passano di moda e il Colosseo diviene prima fortezza delle famiglie Frangipane e Annibaldi, poi cava di marmo, da cui si riforniscono i cantieri dei più celebri palazzi barocchi di Roma e le nuove chiese, come la Basilica di San Pietro. È soprattutto in quest'epoca che il monumento si trasforma in una rovina costellata di migliaia di buchi, come si presenta ancora oggi ai milioni di visitatori che vi camminano intorno. All'interno di questi fori i romani avevano collocato le grappe in bronzo che dovevano sostenere le preziose decorazioni di marmo che circondavano l'arena. Quando divenne necessario forgiare cannoni e plasmare proiettili per difendere lo Stato Pontificio, i papi non esitarono a estrarre il metallo, trasformando l'Anfiteatro Flavio in una rovina. Niente più che una fossa da cui ricavare materiale, senza alcuna memoria del suo significato e della sua funzione: questo è stato il Colosseo per la maggior parte della sua esistenza.

Forse non è un caso che Sorrentino lo abbia voluto proprio come sfondo delle feste disperate e delle conversazioni vacue e malinconiche che Jep ospita sui divani della sua terrazza. Il regista non sente mai la necessità di riprenderlo come un monumento imponente e glorioso, ma sempre come un edificio piccolo e cadente, crivellato di buchi e spogliato delle statue e delle placche di marmo che ne avevano decorato per secoli la cinta esterna.

La meraviglia per la bellezza di Roma agli occhi di Sorrentino è molto più sottile e suggestiva. Non colpisce di fronte ai monumenti più celebri, ma sorprende all'alba, durante le passeggiate in solitaria che Jep ama fare di ritorno a casa, dopo l'ennesima inutile festa.

Le passeggiate

CI sono momenti in cui Jep libera la sua mente, si ritrova solo con la città e smaltisce l'insonnia camminando verso casa. «Si accende una sigaretta. Fuma e respira profondamente. Assapora Roma.» Nel cuore della notte o alle prime luci dell'alba, il suo sguardo è libero di raccogliere le suggestioni più intime che Roma custodisce gelosamente dietro al chiasso delle chiacchiere e del tran tran. Ci vuole silenzio e abbandono per apprezzare la Città Eterna.

La sua prima passeggiata si svolge sull'Aventino, nei pressi della Basilica di Santa Sabina. Si è appena fatto giorno, l'aria è tersa, la luce cristallina e pura. Sotto il portico della basilica appaiono alcune bambine vestite da novizie, ridono al passaggio di Jep, sicure e irriverenti, protette dai cancelli della chiesa. Una suora corpulenta e severa le richiama. Con questa scena Sorrentino inaugura le sue numerose passerelle di preti e sorelle, che tanto ricordano lo sguardo disincantato e sarcastico di Fellini. Qui si limita a canzonare questa suora, spiando il momento in cui, sotto un arco medievale in laterizi, si sistema le mutande sotto la tonaca con un gesto sgraziato e furtivo.

L'Aventino è una delle zone residenziali più esclusive di Roma. Non ci sono negozi e bar, il traffico è limitato a quei pochi veicoli che devono raggiungere i numerosi villini «dalle facciate sinistre» che si innalzano dietro agli alti muri di cinta. È l'unico colle di Roma che si erge all'esterno delle mura difensive più antiche: per questo nell'antichità non era considerato parte della città sacra e vi si potevano stabilire soltanto gli stranieri. Famoso per le celebri «secessioni» della plebe, che per far sentire la propria voce contro i patrizi abbandonava il centro e saliva su questo colle, l'Aventino, questo colle acquista una precisa identità soprattutto in epoca medievale, quando viene scelto come dimora da diverse comunità monastiche. La naturale difesa dovuta all'altitudine e la tranquillità necessaria alla preghiera convincono i Domenicani a stabilirsi presso Santa Sabina, i monaci di San Girolamo a radunarsi intorno al titolo dei Santi Bonifacio e Alessio, mentre sulla casa della matrona Prisca sorge una chiesa in suo onore. Sulla cima del colle risiedono ancora la comunità benedettina di Sant'Anselmo e il Priorato dei Cavalieri di Malta. I riti di questi circoli religiosi scandiscono le giornate dell'Aventino, che si anima timidamente fin dal mattino presto.

Mentre beve alla Fontana del Mascherone spostata quassù dal Foro Romano nel 1593, in piazza Pietro d'Illiria, lo sguardo di Jep è attratto da una scena singolare. ▶

Una suora, che si riconosce soltanto dalla veste bianca, in bilico sui pioli di una scala sta raccogliendo le arance da un albero all'interno di un piccolo parco. È una trovata narrativa.

Il Giardino degli Aranci, che sorge in epoca moderna sulle fondamenta della fortezza trecentesca eretta qui dalla famiglia Savelli, è proprietà comunale. Non appartiene a nessuno dei monasteri dell'Aventino. Non vedrete mai nessun frate occuparsi di queste piante. Eppure l'idea è suggestiva, perché rimanda all'epoca in cui da queste parti si aggiravano soltanto abiti talari. Il giardino nasce negli anni Trenta del Novecento per offrire ai romani un nuovo inedito belvedere, che guardava la città da sud. Ancora oggi è uno dei luoghi più tranquilli di Roma, un angolo di romantica serenità intitolato di recente all'attore Nino Manfredi, che abitava qui vicino. ▶

Grazie all'aria sospesa dell'alba, Gambardella sembra quasi essere proiettato indietro nel tempo. A quell'ora antelucana, vede cose che ai romani di solito sono precluse. Come quei domestici che si aggirano tra le vie deserte del colle mentre parlano al telefono con i loro parenti dall'altra parte del mondo o si fanno trascinare dai cani al guinzaglio dei loro padroni. «Sono donne e uomini dagli occhi spenti e tristi. Occhi ammutoliti dalla perenne nostalgia.» Jep si aggira con grande curiosità, spesso si ferma e sorride. Non giudica mai.

Altre volte il suo passo rallenta di fronte allo stupore.

Durante un'altra passeggiata notturna, si trova a percorrere gli argini del Tevere. Non sono molti i romani che scendono quaggiù, eppure è uno dei punti di vista più originali per scoprire la città. Anche qui, come quando si sale sulle terrazze, regna un silenzio inquietante. Malgrado pochi metri più in alto corrano migliaia di macchine e motorini, gli argini del Tevere sono un'isola di tranquillità inaspettata. ▶

Prima della costruzione dei «muraglioni», il Tevere era parte integrante della vita quotidiana dei romani. Come appare in tante vedute di Gaspar van Wittel o di Ettore Roesler Franz, in passato il fiume era animato dalla presenza di pescatori al lavoro, dalla rotta di pigre feluche adagiate sulla corrente e da famiglie in cerca di ristoro. Quando non arrivavano ai pochi ponti, le strade di Roma finivano proprio sulle rive di sabbia, mentre alcuni edifici si affacciavano a strapiombo sul corso d'acqua. Nei pressi dell'Isola Tiberina giravano i mulini, mentre gli «acquaroli» andavano e venivano a tutte le ore del giorno con le loro botti per rifornire le cisterne dei palazzi nobiliari. In alcune occasioni, però, il Tevere sapeva trasformarsi in una pericolosa minaccia. Ogni secolo registra almeno un'alluvione devastante, che sommerge di fango interi quartieri e fa strage di abitanti. Dopo quella del 28 dicembre 1870, il nuovo governo nazionale delibera la necessità di proteggere la città dalla forza inarrestabile delle piene del Tevere. Quel giorno l'acqua supera di oltre diciassette metri il livello di guardia e arriva fino a piazza di Spagna. Sommerge in pratica l'intero centro storico: al Pantheon si può arrivare soltanto in barca. I nobili temono per la sicurezza dei propri edifici.

Nasce così il progetto dei muraglioni, che proteggeranno Roma dalle inondazioni ma spezzeranno definitivamente quel rapporto tra la città e il fiume che durava da quasi tremila anni. Ci vorranno quasi cinquant'anni per costruire questi argini imponenti e generare un'arteria che ancora oggi costituisce uno dei percorsi più frequentati dal traffico romano: il Lungotevere. Ma di questo, come di qualsiasi elemento della vita quotidiana di Roma, nel film non c'è traccia.

Solo in corrispondenza di alcuni ponti esistono delle scale che permettono di scendere i cinque metri che separano la strada dal ciglio dell'acqua: queste severe pareti in marmo, che corrono per chilometri dall'EUR a Ponte Milvio, costituiscono un mondo a parte, frequentato oggi da pochi ciclisti, maratoneti e barboni in cerca di tranquillità. Jep percorre solo il breve tratto tra Ponte Cavour e Ponte Mazzini, quanto gli basta per vedere la città riflessa nell'acqua e assistere a uno di quegli splendidi voli di passeri che disegnano nel cielo coreografie multiformi. È uno spettacolo che a Roma si rinnova a ogni cambio di stagione: è sufficiente che un solo uccellino cambi direzione e tutto lo stormo gli va dietro, come in una danza senza sosta, affascinante e quasi sinistra. Nessuno sa spiegare il vero motivo di questo fenomeno. Un sistema per difendersi dai falchi predatori? La risposta a un richiamo invisibile? Oppure semplicemente un gioco?

Il progetto originario del film prevedeva a questo punto l'apparizione di un pazzo impegnato in un soliloquio, «una trentina di buste di plastica caricate sulle spalle». Avrebbe arricchito il repertorio degli incontri insoliti di Jep, possibili soltanto in una Roma libera dalla frenesia del quotidiano.

Chissà perché in fase di realizzazione questa scena è stata poi cancellata...

Sorrentino non ha invece saputo rinunciare a un momento che non ha alcun rapporto con il resto della storia. In una delle sue passeggiate notturne Jep Gambardella incrocia lo sguardo di Fanny Ardant, che recita se stessa. È un'apparizione che suona come un omaggio a una delle icone del cinema europeo, che ha lavorato con i più grandi registi, da Claude Lelouch a François Truffaut ed Ettore Scola. Un cameo che ricorda da vicino certi momenti delle notti felliniane di *Amarcord* o *8 1/2*.

L'incontro avviene in una delle tante scalinate che attraversano il quartiere Boncompagni Ludovisi, tra via Veneto e piazza Barberini. ▶

Via Veneto è il risultato di un'eccezionale lottizzazione che alla fine dell'Ottocento il nuovo governo sabaudo mette in piedi appena la capitale viene spostata a Roma. Il territorio che all'epoca era ancora occupato da Villa Ludovisi, il più grande parco privato della città, appare subito come l'area migliore dove far sorgere i nuovi ministeri, costruire i palazzi dove avrebbe abitato la nuova classe dirigente del Regno e aprire quegli alberghi che avrebbero ospitato turisti e funzionari in trasferta di lavoro. Spariscono in pochi anni le pinete, i villini e le fontane della villa e al loro posto sorge uno dei quartieri più eleganti di Roma, che ancora oggi registra la più alta concentrazione di hotel di lusso nella città.

Sono le strade della Dolce Vita, dove negli anni Cinquanta dopo la mezzanotte si radunavano i protagonisti delle pellicole che venivano girate a Cinecittà. Dive come Ava Gardner o Audrey Hepburn, volti noti come Gregory Peck e Marcello Mastroianni, che hanno contribuito a costruire il mito di un'epoca in cui Roma era il cuore dell'immaginario di tutto il mondo. Le fotografie scattate dai paparazzi finivano sulle riviste patinate internazionali e via Veneto si trasformava in un mito.

Pochi sanno che quest'epoca luminosa e irripetibile durò soltanto quattro o cinque anni. Coincise con il boom economico dell'Italia, che usciva devastata dalla Seconda guerra mondiale. L'entusiasmo e la voglia di fare che serpeggiavano tra la popolazione, uniti alla proverbiale creatività degli italiani, avevano reso possibile la concentrazione di molte produzioni cinematografiche sulle rive del Tevere, dove Roma offriva un inimitabile set a cielo aperto, esattamente come in questo film.

Sorrentino non si lascia andare alla nostalgia e all'evocazione sbiadita di quel bel mondo: Jep cammina sul marciapiede di una via Veneto spenta, abitata soltanto da turisti cinesi che scendono sbronzi da limousine a noleggio e coppie di arabi che cenano distratte nei ristoranti protetti da gelide pareti di vetro. È una strada che non ha nulla a che vedere con Roma. Qui non si respira più l'anima della città: è un centro di servizi per turisti spendaccioni che alla sera preferiscono non mescolarsi con la confusione del centro e si ritirano negli ambienti dorati dei loro alberghi di lusso. I tavoli del *Caffè Doney*, che un tempo a quell'ora sarebbero stati occupati da soubrette e giornalisti, oggi sono vuoti e profondamente anonimi.

Roma straripa malinconia.

I palazzi privati

«LA straordinaria musica di Tavener sfiora la bellezza della Fontana del Moro di una piazza Navona vuota e addormentata, conferendole una bellezza nascosta, sconosciuta.» ▶ Una coppia sta attraversando la piazza «mollemente». Sono Jep e Orietta, che presto finiranno a letto in uno degli appartamenti più snob di Roma.

Lo splendore della piazza è attutito da pochi fasci di luce che sottolineano a tratti i monumenti che la decorano. Sorrentino non cade nella banale esaltazione di ciò che c'è di più noto al mondo, la Fontana dei Quattro Fiumi scolpita da Bernini nel cuore di questo salotto a cielo aperto. Esattamente come ha preferito lasciare il

Colosseo sullo sfondo della terrazza di Jep, anche in questo caso le fontane e l'obelisco di piazza Navona fanno soltanto da quinta nella scena in cui si consuma una fredda e fugace relazione notturna. La cinepresa preferisce entrare dentro i palazzi, rivelare cosa nascondono quelle imponenti facciate antiche e guardare la città come appare dall'interno delle serliane. L'appartamento di Orietta si trova a Palazzo Pamphilj, proprio accanto alla chiesa di Sant'Agnese in Agone. È la residenza che Innocenzo X innalza per sé e per la sua famiglia all'indomani dell'elezione al soglio pontificio. Sostenuto da Olimpia, moglie di suo fratello e amante segreta, papa Pamphilj ridisegna la piazza e la trasforma in un monumento. Sull'obelisco della Fontana dei Quattro Fiumi, che viene trasportato qui dal Circo di Massenzio, Bernini colloca una colomba con un ramoscello d'ulivo nel becco, il simbolo araldico dei Pamphilj. Lo stesso uccello compare tra le finestre del palazzo, ogni volta in una posizione diversa, frutto della inarrestabile fantasia di Borromini.

Bernini e Borromini, i due più celebri architetti del Barocco romano. Due caratteri opposti, due stili diversi, due rivali che in questa piazza si fronteggiano e sono costretti a lavorare l'uno accanto all'altro. C'è chi ancora racconta che la statua di uno dei fiumi, il Rio de la Plata, sollevi la sua mano contro la chiesa disegnata da Borromini per proteggersi dal probabile crollo dell'edificio: Bernini avrebbe così voluto mettere alla berlina il suo avversario. ▶

È uno dei falsi più noti di Roma. La fontana e le sue statue erano pronte molto prima che la chiesa venisse costruita. Le loro posizioni sono in realtà un omaggio ai nudi che Michelangelo Buonarroti aveva dipinto sulla volta della Cappella Sistina, più di cento anni prima. Si torcono, muovono le braccia e il busto quasi in bilico sugli speroni di marmo: per ammirarli al meglio bisogna girare intorno alla fontana e scoprire tutti i dettagli con cui Bernini ha arricchito il paesaggio. Un leone accompagna il Nilo, un cavallo il Danubio, un drago il Gange e un ornitorinco dal muso immaginario il fiume più lungo delle Americhe.

Ma tutto questo il film lo lascia solo intuire, perché anche gli interni svelati di Palazzo Pamphilj non sono quelli storici, bensì quelli raffreddati da un design moderno e impersonale. La luce calda che illumina la piazza non penetra all'interno della camera da letto, dove a malapena si scorge un futon, in assenza totale di mobili. Ben diverso è quello che si apre al di là della parete dell'appartamento di Orietta: la galleria in cui il pittore Pietro da Cortona ha affrescato le *Storie di Enea*. ▶ L'esempio più prezioso di pittura barocca, in cui la storia si svolge senza soluzione di continuità, senza la necessità che gli episodi siano separati da cornici o pause, perché la narrazione è un flusso armonico. Come le più importanti famiglie romane, anche Olimpia Pamphilj ha preteso l'opera del pittore più all'avanguardia del tempo. Poche donne come lei si sono guadagnate i peggiori soprannomi che i romani sanno inventare. La «Papessa», la «Pimpaccia», e altri epiteti che non sarebbe elegante riportare, attribuiti alla donna che dominò la scena politica cittadina per almeno quindici anni, al fianco del cognato Giovan Battista Pamphilj, eletto papa nel 1644 con il nome di Innocenzo X proprio grazie all'impegno di Olimpia. Un'alleanza di ferro la loro, basata sulle enormi ricchezze di Donna Olimpia, accumulate con matrimoni oculati, e il prestigio nobiliare dei Pamphilj, che la signora riuscì a ottenere attraverso il matrimonio con Pamphilio, trent'anni più vecchio di lei. Anche se il ritratto che ne fece Alessandro Algardi (conservato nella Galleria Doria Pamphilj) ci restituisce il volto di una donna volitiva, ma di certo non bella, Olimpia fa un sapiente uso degli artisti dell'epoca per trasformare il papato di Innocenzo X in uno dei più prolifici e raffinati della storia.

Anche allora, come oggi, gli anni giubilari costituivano un importante appuntamento da rispettare con imponenti opere pubbliche. E quello del 1650 viene celebrato con il massimo del fasto e della gloria grazie a imprese architettoniche straordinarie, che si concentrano soprattutto su piazza Navona. Pare che Borromini lavori alla chiesa di Sant'Agnese in Agone (praticamente la cappella palatina di Palazzo Pamphilj) soltanto perché riesce a entrare nelle grazie della «Pimpaccia», per merito di padre Virgilio Spada, elemosiniere del papa e raro intellettuale. Ma proprio perché le carriere degli artisti dipendono in quegli anni dal carattere irrequieto della donna, a Borromini sarà tolto il progetto della fontana centrale sulla piazza, che Bernini riuscirà a ottenere grazie a un astuto stratagemma: donare a sorpresa ai Pamphilj un bozzetto in argento della sua fontana, per far entusiasmare il papa e soffiare al rivale il progetto.

Mentre si consumano le ripicche tra i due architetti più celebri del Barocco, un terzo artista, più noto come pittore, entra da protagonista nella fabbrica di Palazzo Pamphilj e vi realizza uno dei suoi capolavori. Pietro Berrettini da Cortona, reso già celebre dall'affresco della Sala Barberini dipinta per papa Urbano VIII nel Palazzo delle Quattro Fontane, viene chiamato a dipingere una delle sale principali della residenza di piazza Navona, che segna il giro di boa della pittura moderna.

Per semplificare e rendere più chiara la storia dell'arte dell'epoca, il passaggio dalla pittura rinascimentale a quella barocca può essere letto attraverso l'analisi di tre notissime volte affrescate: quella della Cappella Sistina, a opera di Michelangelo, quella della Galleria di Palazzo Farnese, capolavoro dei Carracci, e il soffitto della Sala di Enea, dipinto dal Cortona nel

1651 a Palazzo Pamphilj. La presenza dell'architettura dipinta, che nella Sistina costituisce la struttura portante dell'intero ciclo pittorico, scompare gradualmente per lasciare lo spazio a un flusso continuo di figure umane e storie, che si svolgono sopra le nostre teste senza soluzione di continuità. È questa la sfida che il Berrettini vince in questa galleria, progettata dal Borromini, che la firma con le delicate decorazioni naturali di porte e finestre. Per la prima volta ci troviamo all'interno di un ambiente su cui si aprono soltanto due serliane, poste alle estremità della sala. È questo il punto di partenza del progetto cortonesco, che tiene conto delle due fonti di luce opposte, che danno senso e direzione alla narrazione. Si parte dal lato che si affaccia sulla piazza, dove Giunone supplica Eolo di scatenare una tempesta contro la flotta di Enea, non amato dalla dea perché figlio della rivale Venere. Dando le spalle alla finestra, si sviluppa la vicenda del mitico fondatore del popolo romano, che con l'aiuto degli dei, della Sibilla Cumana e, soprattutto, con gli amorevoli consigli del padre Anchise, riesce a superare innumerevoli peripezie per giungere sulla costa italica e fondare una nuova colonia. Non senza prima aver provocato l'intervento di Giove, che placa le ire della consorte nei confronti dei Troiani. Siamo di fronte a una nuova celebrazione delle origini di Roma attraverso uno dei racconti più popolari dell'epoca, ben noto agli ambasciatori e ai nobili ospiti che varcavano la soglia del palazzo.

La galleria ancora oggi conclude un percorso straordinario, che passa per ben sette saloni, in cui si alternano soggetti biblici e soggetti classici, dipinti da alcuni tra i più attivi artisti del Seicento romano. Giacinto Gimignani lavora nella Sala di Giuseppe e, forse, in quella di Mosè. La Sala delle Tempeste è opera di Agostino Tassi, più noto per lo scandaloso stupro di Artemisia Gentileschi. Gaspard Dughet, esperto paesaggista, dipinge la Sala dei Paesi, dove raggiunge uno degli apici della sua carriera. Un percorso affascinante, che è aperto da un salone gigantesco, ricavato dalla chiusura di una loggia, che l'Accademia Filarmonica Romana, quando vantava qui la propria sede, dedicò al compositore Pier Luigi da Palestrina.

Ma tutto questo Sorrentino lo lascia soltanto intuire.

Lo sfarzo e il lusso delle nobili dimore romane si rivelano invece negli ambienti di Palazzo Sacchetti, in via Giulia, l'altro set allestito dal regista in un palazzo privato. ▶

Qui abita Viola, l'amica snob incapace di affrontare il disagio del figlio, che troverà solo nel suicidio la soluzione ai suoi problemi. La sua nevrosi si sviluppa all'interno di uno dei palazzi più preziosi del Rinascimento, progettato per sé dall'architetto Antonio da Sangallo e poi finito a metà del Seicento nelle mani della famiglia fiorentina dei Sacchetti. Ancora oggi sulla facciata è murata un'insegna che recita DOMUS ANTONII SANGALLI ARCHITECTI MDLIII, ovvero: «casa dell'architetto Antonio Sangallo, 1553».

L'artista aveva ricevuto i terreni direttamente da papa Paolo III Farnese, per il quale stava realizzando il palazzo di famiglia a pochi metri di distanza. In realtà, la presenza del Sangallo in via Giulia era quantomai opportuna, perché la strada, dopo il fallito progetto di papa Giulio II di farne un centro di tribunali e palazzi del potere, si stava trasformando nel quartier generale dei notabili fiorentini a Roma. E l'architetto era uno degli artisti più cari alle famiglie toscane. Suo è infatti il progetto iniziale della chiesa di San Giovanni dei Fiorentini, proprio accanto al palazzo. Pare che Raffaello si fosse stabilito al numero 85 della strada, la prima grande arteria romana che tagliava gli stretti vicoli medievali, perché all'epoca nella zona si concentrava l'intervento urbanistico più importante del secolo. A ridosso del Tevere sarebbe dovuta nascere la via dei Tribunali. ▶

Ma forse proprio la vicinanza del fiume e le sue frequenti esondazioni scoraggiarono l'impresa di Giulio II e fecero tramontare i progetti di Bramante. Se non abbiamo certezze relative alla presunta proprietà del palazzo da parte di Raffaello, molti documenti assicurano l'intervento del Sangallo a Palazzo Sacchetti, che alla morte dell'architetto nel 1546 – vi aveva lavorato solo quattro anni – viene venduto al cardinale Ricci di Montepulciano (ancora origini toscane). Solo nel 1649 l'edificio passa ai Sacchetti, mercanti e banchieri fiorentini, che ancora oggi lo abitano. Nel giro di centocinquant'anni l'ascesa della famiglia è continua e progressiva, grazie soprattutto all'abilità di Giovan Battista, che ottiene il titolo di marchese, e del cardinale Giulio Sacchetti, che nel Seicento si afferma nella curia pontificia.

Dopo aver attraversato il cortile, la cinepresa sale il buio scalone che dà l'accesso a una serie di corridoi e salette, dove è ancora esposto il baldacchino, una volta accoppiato a un trono, che il papa usava in occasione delle udienze tenute nel palazzo. Uno degli ingressi al piano nobile è quel lungo corridoio decorato da una serie di busti antichi dove all'improvviso appare Andrea, il figlio di Viola, completamente dipinto di rosso. «Mamma, quando ti vedo arrossisco.» «Tu sei pazzo», risponde la madre. «No, mamma, non sono pazzo. Ho dei problemi.» Una delle conversazioni più surreali e ironiche del film, un minuto in cui si concentra la follia di Andrea e la disperazione di Viola, protetti da un lusso che soltanto Roma antica può offrire.

Qualche scena più tardi, dopo il funerale del ragazzo, il regista racconta il dolore di Viola in modo crudele: al centro della galleria del palazzo, decorata da due affreschi di Pietro da Cortona trasferiti qui dalla villa di campagna dei

Sacchetti, oggi scomparsa, la donna appare al capo di un'elegante tavola con posate d'argento, bicchieri di cristallo e piatti in porcellana.

È sola.

Circondata da busti, quadri e preziose ceramiche dipinte che ancora costituiscono il vanto della collezione Sacchetti, ma che nel film sono il segno della ricchezza che non dona la felicità.

Questa bellezza è troppo grande e gli uomini non riescono a sopportarla.

Anche se Sorrentino non vi gira alcuna scena, vale la pena ricordare che sul lato opposto del piano si apre il Salone dei Mappamondi, dove il Salviati nel 1553 affresca alcuni episodi delle *Storie di David*: dagli scontri con Saul al bagno di Betsabea, dalla danza di David alla sua arringa ai soldati. ▶

Siamo di fronte al trionfo del Manierismo, che si libera degli schemi e delle proporzioni rinascimentali per sperimentare nuovi equilibri, come dimostra l'attenta e innovativa disposizione delle scene, entro cornici liberamente sistemate sui muri imponenti della stanza. Le figure sembrano dipinte all'interno di tele appese alle pareti, grazie alla particolare soluzione scenica detta «quadro riportato». Il pittore finge la presenza di una vera e propria quadreria, staccando dal muro in *trompe-l'oeil* una serie di tele in cui si svolgono le scene. Al centro, quattro mappamondi seicenteschi danno il nome al salone.

Anche gli esterni di Palazzo Sacchetti appaiono nel film, ma coinvolti in momenti completamente slegati dalla vicenda di Viola. Nel giardino si assiste al gioco allegro e spensierato di alcuni bambini rincorsi da una giovane suora, che finisce a piluccare un albero di mandarini nel ninfeo ricco di stucchi e affreschi a tema mitologico. Sul lato opposto, lungo via Giulia, il portone del palazzo, segnato dal civico 66, diventa l'ingresso della residenza dei principi Colonna di Reggio, tra le figure più malinconiche del film. Di ritorno da una cena a casa di Jep, la principessa suona il citofono per entrare nel suo appartamento storico, dove però non abita più.

Grazie alla magia del montaggio cinematografico, il portale di Palazzo Sacchetti introduce invece nel piano nobile di Palazzo Taverna, che in realtà si trova da un'altra parte, nei pressi di piazza dell'Orologio. È qui che la principessa Colonna si reca nella notte per ascoltare la spiegazione registrata da un'audioguida, dove si racconta la sua stessa vita. È la metafora dell'essere umano che non è più artefice della propria esistenza. Non è più protagonista dei suoi giorni e per viverli può soltanto sentirli raccontare da altri. Non si tratta del semplice racconto di una famiglia nobile decaduta, ma di una donna che ha perso le tracce del proprio passato. Prima di arrivare alla sala buia in cui è esposta la sua culla, la principessa attraversa i salotti dell'appartamento nobile di Palazzo Taverna, con i divani di velluto e le specchiere dorate. In una stanza sono impilate decine di sedie: questa volta non è un'invenzione scenografica, perché quelle sedie sono parte dell'arredo della casa, utilizzate ogni volta che si organizza un banchetto. Nel film servono a sottolineare l'atmosfera di abbandono dell'ambiente, dove si consuma una delle scene più tristi e nostalgiche.

La fontana intorno alla quale, più avanti nel film, i protagonisti cercano l'anziana suora soprannominata «la Santa» è in realtà uno degli elementi più pittoreschi di questo palazzo. ▶

Malgrado Sorrentino ci illuda che si tratti del giardino del palazzo in cui abita Jep, queste splendide vasche circondate da un'esedra di alloro decorano il cortile segreto di Palazzo Taverna, in cima alla piccola altura del Monte Giordano, sulla quale si erge l'edificio, nel centro storico. Questa collinetta, oggi quasi impercettibile, ha origini leggendarie. Alcuni ritengono derivi dalle rovine dell'Anfiteatro Statilio Tauro, altri invece che sia il risultato dell'accumulo di frammenti di anfore scaricate qui da un piccolo porto commerciale lungo il Tevere. La sua posizione, nel cuore antico di Roma, rese questa zona particolarmente preziosa intorno al XIII secolo, quando Giovanni di Concione decise di innalzarvi una piccola fortezza per difendersi dai violenti scontri che all'epoca dilaniavano le strade di Roma. La costruzione si rivela talmente strategica che, a metà del Trecento, Giordano Orsini, all'epoca potente nipote di papa Niccolò III, l'acquista per ampliarla e porre le basi di un enorme edificio. È lui a dare il nome al monte e a inaugurare un cantiere che in oltre quattrocento anni darà vita a un complesso costituito oggi da cinque palazzi, tra giardini, saloni affrescati e appartamenti principeschi. Dall'Ottocento appartiene ai Taverna di Milano.

La nobiltà degli esterni non teme confronti con la ricchezza degli interni: il regista subisce il fascino di questi luoghi, di solito accessibili soltanto ai pochi residenti e ai loro privilegiati amici di famiglia. Ne è la prova l'invenzione del personaggio di Stefano, l'amico di Jep che custodisce le chiavi dei più bei palazzi di Roma, «perché è amico delle principesse».

In una delle sequenze più riuscite del film, in cui la fotografia di Luca Bigazzi raggiunge uno dei momenti più lirici e struggenti, lo sguardo della cinepresa sfiora le statue antiche dei Musei Capitolini, illuminate dalla luce calda e sommaria di un candelabro. Ci troviamo all'interno di Palazzo Nuovo, una delle sedi del museo pubblico più antico della storia, in piazza del Campidoglio. ▶ Nel cortile del palazzo i tre protagonisti scorgono una monumentale statua semisdraiata, che la produzione del film ha anche collocato in alcune versioni della locandina. È una divinità fluviale, forse una rappresentazione del Tevere, nota ai romani con il soprannome di «Marforio». Questo strano appellativo deriva probabilmente dal luogo in cui fu trovata: nel Cinquecento appariva presso il Tempio di Marte nel Foro di Augusto, che per errore veniva chiamato Foro di Marte: *Martis Forum... Marforio*. La figura divenne molto familiare ai romani soprattutto quando venne collocata in piazza del Campidoglio, all'esterno, vicino alla chiesa dell'Aracoeli: assieme ad altre cinque sculture antiche (*Pasquino*, *Madama Lucrezia*, *Babuino*, *Abate Luigi* e il *Facchino*), *Marforio* divenne una delle «statue parlanti» di Roma. Nelle ore notturne, di nascosto, gli venivano attaccati biglietti anonimi, in cui se la prendeva con papi e nobili, continuando l'antica tradizione della satira politica che costituisce ancora oggi uno dei tratti più noti del cinico sarcasmo romano. A metà del Seicento, per volontà di papa Innocenzo X, la statua viene spostata all'interno del cortile per accogliere i visitatori di Palazzo Nuovo. ▶

È qui che risiedono alcune tra le sculture romane più famose: la *Venere capitolina*, che nasconde il seno e il sesso con le sue fragili mani, la *Vecchia*, che stringe ubriaca un fiasco rivelando le sue rughe e i suoi muscoli rinsecchiti, oppure il *Galata morente*, l'eroe sconfitto che piange per una ferita al petto, mentre si tiene incerto sulle mani prima di stramazzare a terra. ▶

Intorno a loro, centinaia di ritratti di imperatori e nobili dell'antichità, che sembrano abitare il palazzo come spettri tornati dall'aldilà. ▶

Il tour notturno tra i palazzi di Roma attraversa due meravigliosi giardini segreti, esaltati da un'atmosfera ricercata e inedita. Il primo si apre dietro il buco della serratura più famoso della città, quello in cui guardano ogni giorno frotte di turisti. ▶

Si trova sull'Aventino e dà accesso al parco di Santa Maria del Priorato, una delle sedi romane dei Cavalieri di Malta. Con un gesto da vero prestigiatore, Stefano gira la chiave nel buco e il portone si apre sul viale che incornicia in lontananza la cupola di San Pietro. È un evento che non si verifica mai. Quel portone è chiuso fin da quando è stato costruito secoli fa e non esiste in realtà alcuna chiave che possa entrare in quel buco, che serve soltanto a mettere in scena la sorprendente visione del Cupolone. Ai romani più informati piace raccontare che in quel punto si fa l'esperienza di vivere in tre Stati contemporaneamente: con i piedi si sta nello Stato italiano, con lo sguardo si attraversa il territorio dei Cavalieri di Malta, mentre l'occhio si posa su San Pietro, che si trova nello Stato Vaticano. I protagonisti del film trasformano questa suggestione della vista in realtà. Passano il portone ed entrano nel giardino che circonda la chiesa progettata nel Settecento da Giovanni Battista Piranesi per i Cavalieri. Uno dei luoghi più segreti di Roma.

Quando Piranesi giunge a Roma da Venezia nel 1740, diventa subito protagonista di un acceso dibattito culturale sul senso dell'architettura. Le raccolte di incisioni e vedute di Roma antica, che realizza e vende con grande successo, soprattutto agli stranieri, non sono soltanto il frutto della passione antiquaria ormai diffusa in tutta Europa, ma anche lo strumento con il quale entra nel vivo di una questione spinosa. Di lì a poco Winckelmann elaborerà la teoria della superiorità dell'architettura greca su quella moderna, in particolare quella barocca. Un giudizio che pone le basi per lo sviluppo del linguaggio neoclassico. A questa posizione l'architetto veneziano risponde con una serie di saggi e raccolte di immagini che mirano ad affermare il valore e l'originalità dell'architettura romana, che deriverebbe direttamente da quella etrusca.

Le sue considerazioni controcorrente entrano in aperta polemica con gli architetti dell'epoca, che non lavorano più sulla stratificazione di diversi generi e gusti, bensì riproducono pedissequamente gli ordini antichi, in modo poco creativo. L'ultimo trattato di Piranesi è forse il suo testamento filosofico: *Diverse maniere d'adornare i cammini*, un pretesto per elaborare composizioni di elementi in assoluta libertà e trasversalità, con quella fantasia che aveva già caratterizzato le sue famose *Carceri*. Quando nel 1764 può finalmente realizzare un edificio, grazie a un incarico ricevuto dal cardinale veneziano Giovambattista Rezzonico, Piranesi non si lascia sfuggire l'occasione di mettere in pratica le sue teorie. Sarà l'unica architettura che avrà mai la possibilità di realizzare. Non è a lui che si deve l'invenzione del famoso «buco della serratura», che risponde di più allo spirito barocco, così come il giardino segnato dall'alta siepe e la *Coffee House* all'interno del piccolo parco sono precedenti al suo intervento. Piranesi si concentra sulla definizione e decorazione della piazza e sulla chiesa. Il muro che circonda il piazzale, segnato da evocativi obelischi, punta a rievocare la memoria dell'*armilustrium*, il rituale che ogni 19 ottobre l'esercito romano svolgeva proprio in cima all'Aventino. Alla fine delle campagne di guerra estive, prima del rientro in città, i soldati salivano sul colle (che notoriamente si trovava fuori dalle mura antiche) e lavavano le loro armi, per evitare di contaminare Roma con il sangue dei nemici. Sulle steli campeggiano trionfi di armi e scudi, con l'aggiunta di elementi tratti dall'ambito navale, come i rostri sul muro della porta, chiaro riferimento ai Cavalieri dell'Ordine di Malta.

All'interno del parco, la chiesa non ha una posizione particolarmente scenografica. Per motivi di stabilità Piranesi deve orientarla lungo il pendio, collocando la facciata in una posizione non pienamente panoramica. L'edificio del Priorato è già presente e condiziona fortemente la struttura della chiesa. La facciata è un complicato omaggio alla cultura romana. Il rosone si apre all'interno di una decorazione che ricorda i sarcofagi strigilati, decorati da due mensole che diventano serpenti (è una citazione quasi borrominiana). Ai lati del portale due lesene ospitano diversi simboli: tra tutti il più misterioso è la scritta FERT, acronimo per *Fortitudo eius Rhodum tenuit*, che alcune traduzioni interpretano come «il suo coraggio difese Rodi», riferendosi alla strenua difesa dell'isola da parte dei Cavalieri Gerosolimitani contro la flotta musulmana. All'interno colpisce subito l'assenza di finestre. La luce entra dal rosone in facciata e da un'apertura alle spalle dell'altare maggiore, che non è addossato al muro. Questo dettaglio permette alla luce di giungere da dietro ed esaltare in modo inedito l'ascensione di san Basilio, sorretto da una sfera. Il santo poggia su una costruzione davvero singolare, costituita da una serie di sarcofagi sovrapposti, da cui emerge una Vergine accompagnata da serpenti e putti. Originale la presenza di cornucopie (o torce?) rovesciate, che tanto ricordano alcuni elementi decorativi dei mitrei. Un vero *pastiche*, che i contemporanei non apprezzarono, ma oggi resta come testimonianza di una proposta colta e affascinante, frutto di un intenso e intelligente studio dell'antichità.

La passeggiata notturna tra i palazzi privati di Roma – senza dubbio una delle scene più lunghe e riuscite del film – continua nelle sale buie di Palazzo Barberini, dove la luce fioca nelle mani di Stefano si sofferma sulla *Fornarina*, il capolavoro più famoso di Raffaello. ▶

Per l'occasione, Sorrentino l'ha spostata in un ampio salone, dove troneggia come una meravigliosa apparizione in tutta la sua sensualità. È una delle figure più misteriose del Cinquecento, bella e ammiccante come la *Gioconda*, fragile e seducente come una Madonna di Tiziano. È nuda, al contrario di Monna Lisa, ma non volgare: il suo nome si riferisce alla leggenda che la vorrebbe figlia di un fornaio di Trastevere, amata e desiderata da Raffaello tanto che il pittore la ritrae con un braccialetto su cui incide il proprio nome. È la firma dell'artista, ma anche l'affermazione che la ragazza è di sua proprietà. All'epoca il pittore era impegnato negli affreschi di Villa Farnesina, che si trova proprio su quella strada, ma i lavori procedevano a rilento perché l'uomo spasimava per l'amata, che incontrava ogni mattina recandosi al cantiere. L'unica soluzione che il banchiere Agostino Chigi trovò per farlo andare avanti nel suo impegno fu quella di convincere il padre della ragazza a farla stare con l'artista. Vasari racconta addirittura che

Raffaello amò questa giovane «fino alla morte», fugando così tutte le ipotesi che la identificano con Beatrice Ferrarese, una famosa cortigiana di Roma, una «meretricula», come si diceva all'epoca. In pochi anni il suo ritratto entra nella leggenda e oggi è forse l'immagine più famosa mai dipinta da Raffaello: al Settecento risale il soprannome «Fornarina», un vero mito, tra realtà e finzione.

Il regista non si lascia sfuggire la possibilità di esaltarne la bellezza conturbante, accostata alla fragile sensualità di Ramona, anche lei bella, provocante e innocente allo stesso tempo.

La sua ingenuità compare quando, nella scena successiva, la ragazza entra all'interno della cosiddetta «falsa prospettiva» costruita da Borromini a Palazzo Spada, per svelarne il segreto. Potere del cinema: nessuno in realtà può mettervi piede. Eppure soltanto dall'interno si può svelare il trucco celato in questa architettura barocca. ▶

Realizzata per volere del cardinale Bernardino Spada nel cortile privato del palazzo, l'opera produce un'illusione ottica, l'esempio più efficace dello stupore e della meraviglia che genera l'arte nel Seicento. A guardarla dall'esterno

Cannone del Gianicolo

Emilio Gallori, Monumento a Garibaldi (1895)

Fontana dell'Acqua Paola

Fontana dell'Acqua Paola, con i cinque archi

*Il palazzo con la terrazza della festa
di compleanno di Jep (a sinistra)*

L'insegna MARTINI

A destra, palazzo con terrazza di Jep Gambardella

Rovine del Tempio del Divo Claudio sul Celio

Il Colosseo, o Anfiteatro Flavio

Fontana del Mascherone in piazza Pietro d'Illiria

Giardino degli Aranci e Santa Sabina

Muraglioni del Tevere

Scorcio di via Veneto

Piazza Navona (a sinistra, Palazzo Pamphilj)

*Gian Lorenzo Bernini, Fontana dei Quattro Fiumi:
particolare del Rio de la Plata*

Pietro da Cortona, Galleria con le Storie di Enea,
Palazzo Pamphilj

Galleria di Palazzo Sacchetti

Via Giulia

Salone dei Mappamondi a Palazzo Sacchetti

Fontana di Palazzo Taverna

Palazzo Nuovo (a sinistra) in piazza del Campidoglio

Statua del Marforio

Interno di Palazzo Nuovo

Interno di Palazzo Nuovo

Buco della serratura in piazza dei Cavalieri di Malta

Raffaello Sanzio, La Fornarina, *olio su tavola, 1518-1519,*
Museo Nazionale d'Arte Antica in Palazzo Barberini

Francesco Borromini, galleria prospettica
in Palazzo Spada (1653)

Villa Medici, facciata interna

Gruppo dei Niobidi, *copia in gesso
dall'originale in marmo antico*

Obelisco di Villa Medici

Appartamento di Pino Casagrande

Parco degli Acquedotti

Palazzo della Rovere

Tempietto del Bramante

Tempietto del Bramante (interno)

Salone delle Fontane all'EUR

Villa Giulia

Ninfeo di Villa Giulia

Ninfeo di Villa Giulia (particolare)

Cortile di Palazzo Altemps

Scalone di Palazzo Braschi

Basilica di San Lorenzo in Lucina

Terme di Caracalla

Santi Domenico e Sisto presso l'Angelicum

Scala Santa

sembra lunga 37 metri, ma in realtà non arriva a 8: Borromini ha esaltato l'effetto ottico inclinando il pavimento, abbassando gradualmente la volta e accorciando le colonne, in modo tale che alto e basso convergano verso il fondo. Alla naturale convergenza elaborata dai nostri occhi si aggiunge quella reale: il tunnel appare così molto più lungo di quanto non sia realmente. La statua che si trova al termine della galleria sembra a grandezza naturale, ma non supera i 60 centimetri. Ci troviamo di fronte a un falso ottico. Attraverso l'uso della geometria e il calcolo perfetto delle proporzioni, l'architetto si trasforma in un prestigiatore che gioca con lo spazio reale e mette in scena un numero degno di uno spettacolo di magia. Ramona ne svela il trucco con il sorriso di una bambina... la sua sorpresa è quella che i romani non vivono più di fronte alla grande bellezza di Roma.

Lo strepitoso ed esclusivo tour notturno di Jep, Ramona e Stefano si conclude all'alba (ma in realtà sono le luci del tramonto) nel giardino di Villa Medici, dove i tre camminano lasciandosi alle spalle il gruppo scultoreo dei *Niobidi* per arrivare sulla terrazza che sormonta la fontana dell'obelisco, al centro del parco. Inutile rivelare che si tratta di un percorso completamente inventato, perché la partenza e l'arrivo sono in realtà in due direzioni opposte. Ma il film ci ha già abituato a questi fantasiosi intrecci di luoghi e ambientazioni.

Resta il fatto che Sorrentino celebra uno dei giardini più eleganti e segreti di Roma, che si apre all'interno della villa dove oggi risiede l'Accademia di Francia, che ospita gli artisti vincitori del Prix de Rome.

Si tratta di un'istituzione molto antica, che risale al 1663, quando Luigi XIV mise a disposizione di pittori, scultori, architetti e musicisti francesi una borsa di studio che consentiva loro di trascorrere un periodo di residenza a Roma per studiare le antichità. Una iniziativa che il popolo francese apprezza talmente tanto che ancora oggi, a distanza di secoli, viene finanziata e rinnovata ogni anno. Dopo aver cambiato nel tempo varie sedi – è stata anche presso Palazzo Mancini in via del Corso – l'Accademia di Francia si sposta all'interno di Villa Medici soltanto nel 1803 per volere di Napoleone, che ha l'idea geniale di collocare gli studi degli artisti all'interno del parco. La residenza, costruita sui resti degli Horti di Lucullo, era stata sistemata nel Cinquecento dal cardinale Ferdinando de' Medici, prima che il prelato si decidesse ad abbandonare l'abito talare per tornare a Firenze e fare il granduca. L'idea del cardinale era stata quella di trasferire a Roma il modello delle ville medicee, con le due tipiche torrette laterali e un parco privato, ma con l'aggiunta di decorazioni che soltanto lungo le rive del Tevere potevano essere trovate. ►

Chi arriva ancora oggi a Villa Medici si stupisce del fatto che la facciata esterna dell'edificio sia spoglia, priva di qualsiasi accenno a una qualche minima decorazione. Niente, solo finestre e un balconcino sopra il portone d'ingresso. In questo la villa imita perfettamente altre residenze dei Medici nei dintorni di Firenze, austere e semplici come si conviene alle dimore di campagna, sedi di aziende agricole. In effetti, anche Villa Medici era poco più di un orto prima dell'arrivo di Ferdinando. La sorpresa però è dietro l'angolo. Salita la scala centrale che conduce a due spirali in corrispondenza delle torri, si accede al giardino, dove è possibile ammirare la facciata interna della villa. È qui che il cardinale concentra le decorazioni: bassorilievi antichi, frammenti tratti dagli scavi cinquecenteschi – come i due reperti che giungono dall'Ara Pacis di Augusto – riquadri e busti che trasformano la parete in una vetrina eccezionale di capolavori romani.

Una collezione a cielo aperto. A questi preziosi reperti, Ferdinando aggiunge alcuni nuovi ambienti, come il suo studiolo, ricavato proprio sopra le Mura Aureliane che proteggono e sorreggono il parco della villa: qui il pittore Jacopo Zucchi inventa per il cardinale una splendida voliera sulla quale colloca uccelli di specie nostrane ed esotiche, come era consuetudine in quell'epoca.

Ma la cinepresa non si sofferma su questi dettagli preziosi: preferisce tenere sullo sfondo della passeggiata, come la quinta di un teatro, il gruppo scultoreo dei *Niobidi*. ▶

Niobe, figlia di Tantalo, si vanta della sua fertilità, che le ha permesso di generare sette figli maschi e sette femmine. Il suo vanto suona come una burla ai danni della dea Latona, che ha avuto soltanto Apollo e Artemide. L'ira della dea condanna alla morte i figli di Niobe, che vengono uccisi sotto gli occhi della madre:

una triste vicenda che ha ispirato anche famose tragedie greche di Eschilo e Sofocle. Le sculture, ritrovate nel 1583 presso Porta San Giovanni, vengono acquistate dal cardinale de' Medici, che le colloca nel parco della sua nuova residenza.

Nel 1770 la collezione d'antichità della villa fu trasferita a Firenze e anche il gruppo dei *Niobidi* giunse agli Uffizi. Le statue che oggi decorano il giardino sono copie in gesso degli originali, volute dall'artista Balthus quando è stato direttore dell'Accademia di Francia tra il 1961 e il 1978.

Da qui parte l'esplorazione dei nostri tre personaggi, che arrivano alla terrazza che divide il parco in due zone, sullo sfondo di un cielo blu elettrico allucinante. L'area in cui sono i *Niobidi* è organizzata in sedici quadrati e numerosi viali perpendicolari, l'altra zona, alle spalle della terrazza, è invece ancora oggi lasciata apparentemente in disordine, come una foresta che conduce al Parnaso. Su una piccola collina artificiale, che ricorda il colle dove Apollo incontrava le Muse, Ferdinando costruisce un tempietto, destinato ai suoi momenti di raccoglimento, forse sui resti di un antico tempio romano, che si nasconde nel sottosuolo.

L'intero giardino gira intorno alla fontana con l'obelisco, su cui si sofferma lo sguardo della cinepresa. L'opera è in realtà una copia eseguita negli anni Trenta del Novecento, che sostituisce l'originale portato nel 1790 dai Medici a Firenze per decorare il Giardino di Boboli. A ben guardare, poggia su quattro piccole tartarughe in bronzo, che sostengono la sua mole come per magia... la magia che si respira durante tutto il film. ▶

Il maestoso parco di Villa Medici fa il paio con un altro piccolo giardino, altrettanto prezioso, dove si svolge la festa di Lillo, il collezionista di arte contemporanea. Anche in questo caso il set è un luogo che esiste davvero, la più bella dimora romana dedicata a una collezione di arte del nostro tempo, sulla cima dell'Aventino, a ridosso del parco di Villa Pepoli. Non si tratta di una casa qualsiasi, ma di un ambiente che il collezionista Pino Casagrande alla fine degli anni Ottanta commissiona all'architetto Patrizio Paris per ospitare e valorizzare la propria raccolta di opere di artisti internazionali. ▶

L'abbiamo già vista in alcuni film italiani – uno fra tutti *Ricordati di me* di Gabriele Muccino – ma in tutte le altre apparizioni era stato essenzialmente sottolineato lo stile sobrio e l'arredamento design di questa straordinaria casa, così poco «romana». Sorrentino invece ne rivela l'identità più profonda, valorizzando la presenza di opere curiose e sorprendenti. All'interno dell'ampio salotto bianco, dove il regista ha rimosso tutti i mobili per farne una sorta di galleria d'arte contemporanea, Jep e Ramona incontrano lo sguardo di un ospite che ammira una figura sospesa nel vuoto, dipinta sul muro, proprio sopra un sarcofago antico. In realtà, quella parete di solito ospita un disegno geometrico dell'artista minimalista americano Sol Lewitt, ma quel sarcofago è davvero collocato in quella posizione. Pino Casagrande, prima di dedicarsi alla raccolta di opere di artisti viventi, è stato un appassionato di archeologia. Come accadeva nelle residenze rinascimentali, la sua casa mette in scena il dialogo serrato tra reperti antichi e pezzi d'avanguardia. Chi esplora la casa – anche se nel film non succede – potrebbe trovarsi di fronte a una vetrina di vasi di design che dialoga con una esposizione di anfore antiche, mentre in cucina non sarebbe strano incontrare *Campbell's Soup* di Andy Warhol. Una *Italia* di Luciano Fabro guarda una teca in vetro di Rebecca Horn, una installazione di Giovanni Anselmo poggia in bilico accanto a una fotografia di Thomas Ruff.

All'esterno, un piccolo giardino privato, che richiama in miniatura le aiuole, i viali e le fontane viste a Villa Medici, ospita la festa e la performance agghiacciante della bambina action-painter. Anche Pino amava aprire agli amici artisti e appassionati d'arte la sua dimora, anche lui adorava le novità e le sperimentazioni. Mai però avrebbe permesso una tale vergognosa scena, ai limiti della decenza, che ha fatto alzare gli scudi dei critici d'arte contemporanea. In molti si sono sentiti canzonati e maltrattati dal ruolo che Sorrentino ha dato alla creatività sperimentale in questo film.

Ne è un chiaro esempio anche la scena della performance che si svolge al Parco degli Acquedotti.

Il Parco degli Acquedotti

«MORBIDAMENTE adagiato su plaid costosi, come in una piccola Woodstock radical chic, il pubblico, dall'aria ostinatamente colta, siede e guarda... Non è Pirandello, piuttosto siamo nello sdrucciolevole mondo delle performance estreme.» Sul palcoscenico c'è l'artista Talia Concept, che, nuda, si precipita contro uno dei pilastri che sostengono l'antico Acquedotto romano. Il suo duro e netto colpo di testa contro le pietre scatena la reazione, le grida e gli applausi del pubblico in estasi. La tensione di questa scena, dai toni fortemente ironici, viene smontata la sera stessa durante l'interrogatorio a cui Jep sottopone l'artista. Un vero e proprio bluff.

Trascurando l'opinione del regista sull'arte contemporanea, forse un po' superficiale ma sicuramente efficace, vale la pena sottolineare come la provocazione scenica di Talia avvenga in uno degli scenari più maestosi e meno visitati di Roma antica. Il Parco degli Acquedotti è una vasta zona archeologica su cui si ergono le arcate di ben sette acquedotti, realizzati dai romani e dai papi nel corso dei secoli per fronteggiare la sempre maggiore richiesta di acqua corrente per la città. ▶ Sono l'Anio Vetus – in parte sotterraneo – costruito all'inizio del III secolo a.C. con il bottino vinto nella guerra contro Pirro, gli acquedotti dell'Acqua Marcia (144 a.C.), dell'Acqua Tepula (125 a.C.) e Iulia (33 a.C), al quale è sovrapposto l'Acquedotto Felice, realizzato da papa Sisto V negli anni Ottanta del Cinquecento. La performance avviene di fronte all'Acquedotto Claudio, terminato nel 52 d.C. dall'imperatore Claudio, che sovrappone la nuova struttura su quella dell'Anio Novus, realizzato pochi anni prima da Caligola. ▶

In lontananza si intravede una doppia fila di pini maremmani, che rivelano la presenza dell'Appia Antica, la grande area archeologica in cui è inserito il Parco degli Acquedotti. È sorprendente pensare che fino a trent'anni fa qui si annidava una vera e propria baraccopoli, dove poveri immigrati – prima italiani, poi zingari e stranieri – vivevano in una povertà assoluta all'interno di casupole addossate ai pilastri. Animati dal loro solito generoso sarcasmo, i romani chiamavano questa zona «Roma Vecchia», uno dei territori più degradati della città dove non era difficile incontrare intellettuali curiosi come Pasolini.

Palazzo della Rovere

OGNI tanto *La Grande Bellezza* trascura la sua
identità internazionale e si concede alcuni stereotipi nostrani, anche se difficilmente verranno
compresi dal pubblico straniero. È il caso della
scena che si svolge nel ristorante dove Jep ha
invitato Ramona. Al tavolo accanto al loro è
seduto Antonello Venditti, cantante entrato nel
mito della canzone italiana negli anni Settanta,
che recita la parte di se stesso. La sorpresa di
Ramona per questo incontro inaspettato lasce-
rà indifferenti i più, che saranno magari più
attratti dal curioso scenario che si apre intorno
ai personaggi. Ancora una volta, Sorrentino
non ha cambiato quasi nulla del luogo, un vero

ristorante che si trova all'interno della loggia di Palazzo della Rovere. ▶ Gli affreschi alle pareti, molto poco illuminati anche nella realtà, sono il risultato della decorazione commissionata dal cardinale Francesco della Rovere alla fine del Quattrocento. Oggi una parte del palazzo ospita l'*Hotel Columbus*, mentre l'altra metà è affidata alle cure dell'Ordine Equestre del Santo Sepolcro, un'organizzazione che persegue ancora oggi le finalità di assistenza umanitaria maturate al termine delle Crociate in epoca medievale. La storia dell'edificio, noto anche come Palazzo dei Penitenzieri, è davvero curiosa.

Per i pellegrini che giungevano a Roma in cerca di assoluzione, anche la Basilica di San Pietro riservava non poche insidie. Gli stranieri, per esempio, dovevano spesso ricorrere all'aiuto di interpreti per accedere alla confessione, senza sapere che questi generosi assistenti avrebbero poi preteso di essere pagati per mantenere il segreto confessionale. Per dare un taglio netto a questa pratica diffusa, nel 1338 papa Benedetto XII dà vita alla confraternita dei Penitenzieri, che avevano il compito di sovrintendere alle confessioni e prestare assistenza ai malcapitati pellegrini. A essi papa Alessandro VII affiderà nel Seicento il palazzo che il cardinale Francesco della Rovere aveva commissionato a Baccio Pontelli nel rione Borgo due secoli prima.

Affacciato all'epoca su piazza Scossacavalli, scomparsa con l'apertura di via della Conciliazione, l'edificio imita la struttura di Palazzo Venezia. È qui che si aprono i saloni completamente affrescati all'epoca del cardinale della Rovere, che decide di dedicare gli ambienti della sua dimora a soggetti tipici della cultura umanistica, quando gli argomenti della classicità greco-romana subiscono le più ardite interpretazioni in senso religioso.

Proprio nel Quattrocento torna in voga il Neoplatonismo, una filosofia che tenta di mettere d'accordo la logica più razionale con la fede nei dogmi cristiani. L'arte è uno dei veicoli più efficaci di questa nuova mentalità, che può esserci utile per interpretare i complicati affreschi di Palazzo dei Penitenzieri.

Nel primo salone sono rimasti soltanto i segni di una finta architettura dove non appare più alcuna traccia dei paesaggi che forse un tempo l'adornavano. Nella sala successiva si scorgono ancora i dettagli di alcune rappresentazioni dei mesi, che vengono raccontati attraverso l'attività dei campi e coronate dai segni zodiacali corrispondenti. È un primo accenno del tentativo di creare un collegamento tra il destino degli uomini e il potere delle stelle, che in Italia si ritrova in molti altri palazzi (il più celebre è Palazzo Schifanoia a Ferrara). Non solo, ma nel mese di novembre troverebbe spazio anche la vicenda mitologica di Orione, che viene morso da uno scorpione inviato per punizione da Diana. Mosso a pietà, Zeus trasforma sia l'animale sia il cacciatore in costellazioni, collocandole agli antipodi della volta celeste. Un piccolo esempio per chiarire che in passato non esisteva una netta distinzione tra la cultura pagana e quella religiosa, né tanto meno erano chiari i confini tra scienza e superstizione.

È forse per questo che a noi oggi risulta praticamente impossibile l'interpretazione del soffitto dipinto da Pinturicchio nell'ultimo salone del palazzo, detto dei «Semidei». L'artista si fa realizzare sessantatré cassettoni ottagonali in legno disposti in file ordinate fino a coprire l'intera superficie. Invece di dipingere direttamente sulla tavola, sceglie di intervenire a tempera su fogli di carta che poi incolla sui cassettoni. La spiegazione di questa insolita tecnica sta forse nella scelta particolare dei soggetti da dipingere. Questi semidei non sono altro che figure mitologiche, metà uomini e metà animali, tratte per lo più dai bestiari medievali o da testimonianze di culture esotiche. Sirene a due teste, sfingi, tritoni, delfini trattenuti da putti, centauri pronti al combattimento. Per realizzarle nei minimi dettagli, spesso anche invisibili dal basso, Pinturicchio si serve di una tecnica molto simile alla miniatura, che aveva appreso da giovane. Ed è proprio dal repertorio dei libri miniati che arrivano questi personaggi così enigmatici. In ognuno ricorre un elemento rosso, che spicca sullo sfondo a finto mosaico dorato. Si tratterebbe di non meglio identificati inviti alla moralità e alla prudenza, dove l'artista si è divertito a escogitare le iconografie più eccentriche. La Fortuna, per esempio, è una figura alata che cavalca un delfino. Tra le mani tiene una vela, gonfia del vento formatosi dal moto dell'animale. Basta un piccolo gesto per farla girare.

Il Tempietto del Bramante

DONATO Bramante è forse l'architetto più importante che ha operato a Roma nel Quattrocento. È a lui che si deve la rifondazione della città dalle «macerie» del Medioevo. È a lui che si affida papa Giulio II per ripensare l'organizzazione urbanistica di Roma e alcuni tra i monumenti più significativi, come la Basilica di San Pietro. Il ruolo di Bramante è paragonabile a quello che ha Leon Battista Alberti a Firenze, Francesco di Giorgio Martini a Urbino o Leonardo da Vinci a Milano. Mentre però questi altri maestri hanno lasciato segni molto visibili e noti nelle rispettive città, le tracce del passaggio di Bramante a Roma sono risibili. Il suo progetto per la nuova Basilica di San Pietro viene nei secoli completamente snaturato; l'obiettivo di trasformare via Giulia nella via dei Tribunali viene abbandonato subito dopo aver posto le prime fondamenta; il sobrio coro di Santa Maria del Popolo è nascosto da un ricchissimo altare barocco. L'edificio che meglio rappresenta il suo pensiero e la sua elegante idea di spazio è il Tempietto che ancora oggi è protetto dal cortile a fianco della chiesa di San Pietro in Montorio, sul Gianicolo. ▶

Qui Sorrentino colloca una delle scene più surreali del film.

Durante una delle sue passeggiate in solitaria Jep finisce all'interno di questo edificio, un tempio greco in scala ridotta. Alla ricerca dei punti di vista più insoliti e rari, il regista ottiene di poter girare all'interno del Tempietto, che in realtà è sempre chiuso. Sono in pochi a sapere che dentro c'è un altare con una statua di san Pietro, che si credeva fosse stato martirizzato proprio qui. Al centro della sala circolare sarebbe stata conficcata la croce capovolta sulla quale il santo fu appeso a testa in giù. ▶

Ancora più difficile è vedere cosa si cela nei sotterranei di questo gioiello d'architettura: la cinepresa arriva anche lì e rivela uno splendido soffitto decorato con stucchi all'antica, dove si nasconde una bambina, che è scappata a una madre preoccupata. I movimenti dell'obiettivo entrano ed escono dal Tempietto e vi girano intorno, seguendo le linee pure elaborate da Bramante.

Questo piccolo capolavoro, che nasce nel 1500 per volere dei sovrani di Spagna Ferdinando e Isabella, è un omaggio alla perfezione e all'armonia dell'architettura antica: le dodici colonne doriche, che formano un cerchio perfetto, sostengono una trabeazione decorata con metope e triglifi a imitazione degli antichi templi greci. La cupola è una versione in scala ridotta del soffitto del Pantheon, mentre l'equilibrio delle proporzioni richiama le riflessioni elaborate da Vitruvio, che gli architetti del Rinascimento riscoprono nel Quattrocento. Non c'è un solo elemento dissonante in questo edificio perfetto, che ancora oggi offre un angolo di pace e armonia.

Il Salone dell'EUR

Subito prima del funerale del figlio di Viola, Jep accompagna Ramona in un negozio di lusso per l'acquisto di un abito adatto all'occasione, vista la *mise* totalmente fuori posto con cui la ragazza si era presentata alla festa di Lillo, poche sere prima. Sorrentino, con un colpo di genio, riproduce il negozio in un ambiente che non ha nulla a che vedere con un esercizio commerciale.

È un salone dalle bianche pareti di marmo, le scarpe esposte sul soffitto obliquo che sorregge una rampa di scale e il vuoto al centro. Jep recita la sua «filosofia del funerale» su una seduta molto originale, un pezzo unico di marmo sagomato a formare un divano. Ancora una volta, la perfezione dello spazio e dell'atmosfera quasi irreale farebbe pensare a un set ricavato in un teatro di posa. Ma non è così.

Questo spazio esiste davvero e si trova presso il Salone delle Fontane all'EUR. ▶

Si tratta dell'androne che conduce all'interno di quelle che negli anni Trenta del Novecento erano state pensate come le biglietterie dell'Esposizione Universale Romana (di cui EUR è l'acronimo). Un ambiente di servizio, in cui però gli autori non rinunciano a scelte preziose, come la decorazione marmorea delle pareti, sulle quali le lastre di pietra sono disposte in modo che le venature del marmo disegnino delle eleganti forme geometriche in simmetria.

Animato dalla competizione con gli Stati europei più potenti, come la Francia e la Germania, Mussolini aveva avuto l'idea di ospitare a Roma nel 1942 una spettacolare mostra internazionale per celebrare il ventennale della Marcia che aveva dato inizio al suo regime. Il progetto fu affidato a un eccezionale gruppo di artisti e architetti, guidati dalla sapiente e colta mano di Marcello Piacentini. Adalberto Libera, autore anche del Palazzo dei Congressi dell'EUR, progetta questo edificio servendosi degli elementi dell'architettura greca, riproposti in chiave razionalista e moderna. All'esterno, Gino Severini disegna i mosaici bianchi e neri che decorano il fondale delle fontane che danno il nome alla struttura.

Come è tipico di tutti gli ambienti realizzati nel ventennio fascista, agli architetti è richiesto anche di progettare gli arredi: mobili, balaustre, porte, maniglie e divani, come quello raffinatissimo sul quale siede Jep in questa scena.

L'ingresso dell'Italia nella Seconda guerra mondiale blocca il cantiere dell'E42, che verrà concluso soltanto negli anni Cinquanta, nel rispetto quasi fedele del progetto iniziale. Il Salone delle Fontane, forse uno degli ambienti più monumentali dell'intero complesso, non fu mai utilizzato come biglietteria. Dopo anni in cui è stato in cerca di un'identità, oggi viene utilizzato come sede di eventi che spesso, purtroppo, nascondono la sua fenomenale e sobria bellezza.

Villa Giulia

DALLA sceneggiatura veniamo a sapere che inizialmente questa scena era stata pensata per il MAXXI, il Museo Nazionale per le Arti del Ventunesimo secolo: in assoluto l'edificio più all'avanguardia presente a Roma. Ma forse non sarebbe stato altrettanto romantico e nostalgico collocare lì dentro le fotografie della mostra di Ron Sweet, l'artista che espone le migliaia di fotografie che ne ritraggono il volto durante l'intera vita. Uno scatto al giorno, sempre in primo piano. Prima è il padre a fare le foto, poi comincia lui stesso. Davanti agli occhi di Jep scorre tutta la vita di quest'uomo, le sue emozioni e, soprattutto, il tempo che lascia il segno sul suo viso.

Sorrentino sceglie di allestire le fotografie sotto la loggia affrescata di Villa Giulia.

Una soluzione appropriata.

In una splendida giornata di sole, il giardino della villa risplende dei suoi affreschi e spazi verdi. ▶

Si tratta di uno dei progetti più coerenti e riusciti del Cinquecento: una villa appena fuori le mura antiche di Roma, posta al centro di un grande complesso di vigne, a metà tra azienda agricola e luogo dove imbastire piacevoli conversazioni intellettuali tra giochi d'acqua, banchetti e capolavori d'arte. L'idea viene a papa Giulio III, che regna tra il 1550 e il 1555. Il pontefice chiama a raccolta alcuni tra gli architetti più in voga dell'epoca e affida loro la realizzazione del suo angolo di pace e tranquillità, facilmente raggiungibile dal Vaticano sia via terra, grazie alla via Flaminia, sia via fiume, risalendo il Tevere quasi fino a Ponte Milvio. Giorgio Vasari, Bartolomeo Ammannati, Jacopo del Vignola sono i nomi che ricorrono nei disegni di questa dimora di rara bellezza e coerenza. Sulla volta della loggia che accoglie le fotografie di Sweet si possono ammirare uno splendido pergolato dipinto, dal quale pendono grappoli d'uva e dove si nascondono uccelli d'ogni specie. È la rappresentazione ideale dei campi che si estendevano intorno all'edificio, occupati da ordinate vigne dove l'uomo era riuscito a domare il disordine della natura. Villa Giulia rappresenta all'epoca il tentativo di costruire un ambiente in cui tutti gli elementi della natura dialoghino in modo equilibrato e contribuiscano a rasserenare gli animi e le passioni. Jep partecipa a questa serenità attraversando il prato, oggi noto soprattutto perché il primo giovedì di luglio ospita la serata finale del Premio Strega. Lancia soltanto uno sguardo all'angolo più segreto e affascinante della villa: il Ninfeo. ▶

Tre piani di logge, colonnati, mosaici e giochi d'acqua in cui Giulio III organizzava ricevimenti e feste al riparo dalla calura estiva. Il tritone che compare nel mosaico antico riportato alla luce fa il paio con le cariatidi che sostengono la terrazza: è il tripudio del revival dell'arte classica, lo stile a cui si ispira l'intera cultura rinascimentale. ▶

Abitudini, immagini, architetture mirano a tornare indietro nel tempo, quando l'uomo sapeva vivere in armonia con la natura e con se stesso. Un equilibrio che colpisce intensamente Gambardella che, come al Tempietto del Bramante, si aggira silenzioso e ammirato, attratto dall'intensità delle fotografie e dalla meraviglia del luogo. La splendida collezione di sculture, oggetti e gioielli etruschi che occupa le sale interne può attendere... ma merita una visita tanto quanto la struttura esterna della villa.

Palazzo Brancaccio

Non poteva esserci dimora migliore per ambientare l'inquietante rito del botulino: Palazzo Brancaccio, dove Sorrentino ha aggiunto pochi dettagli per dare vita a un ambiente dall'eleganza decadente e nostalgica. L'atmosfera gotica e misteriosa fa già parte del *genius loci* di questi saloni, rivestiti di velluti rossi, stucchi dorati e busti in gesso e bronzo dorato.

Un'infermiera accoglie Jep nella *Coffee House* dalle pareti completamente bianche, con uno strano specchio rivestito di plastica trasparente in mano. Nel giro di pochi secondi, la scena si sposta nell'atrio buio e misterioso al primo piano del palazzo: pare sia «l'ultimo palazzo nobiliare costruito a Roma», su progetto dell'architetto Luca Carimini, per volere della famiglia Brancaccio di Napoli. Questi signori l'avevano ereditato da Mary Elizabeth Field, facoltosa dama americana che nel 1879 aveva acquistato dal Comune di Roma la chiesa, l'orto e il convento delle Suore Clarisse Francescane di Santa Maria della Purificazione ai Monti che si trovava in questa zona. Oltre alla loro residenza e al bel giardino, la famiglia volle aprire anche un teatro, che ancora oggi propone un ricco programma, dedicato soprattutto al musical.

Altri Set

ALCUNE brevi scene sono girate in luoghi splendidi, nei quali Sorrentino si sofferma soltanto su un dettaglio, un angolo, un ambiente. Vale la pena segnalarli, anche se la cinepresa in questi casi si limita a lasciarli sullo sfondo, senza esplorarli in profondità.

Palazzo Altemps ▶
È uno degli esempi più strepitosi di residenza nobiliare trasformata in museo pubblico. Nel film compare di sfuggita il cortile durante la passeggiata notturna di Jep, Stefano e Ramona. Tra affreschi che risalgono alla fine del Quattrocento, quando il cardinal Girolamo Riario

diede inizio alla sua costruzione, e una struttura architettonica che rispetta i più puri equilibri rinascimentali, il palazzo ospita la leggendaria collezione di sculture antiche dei principi Boncompagni Ludovisi. Una ricca serie di dèi, fauni, satiri, ninfe, atleti e guerrieri che per secoli hanno rappresentato il prototipo della bellezza antica, copiata dagli artisti più celebri che arrivavano a Roma da tutta Europa. Tra i capolavori più preziosi, il *Trono Ludovisi*, che raffigura la nascita di Venere, e il gruppo di *Oreste ed Elettra*, che abbracciandosi si dicono addio, o il *Galata suicida*.

Dietro lo splendore delle sculture e dei dipinti si nasconde tuttavia una tragedia che per secoli ha lasciato a Palazzo Altemps la fama di dimora maledetta: il cardinale Altemps commise l'errore di far sposare suo figlio Roberto con una Orsini, famiglia acerrima nemica di papa Sisto V, che per vendetta accusò Roberto di adulterio e lo fece decapitare. A ricordo di quanto avvenuto, il figlio di Roberto fece dipingere nella cappella del palazzo un grande affresco che riproduceva la decapitazione del padre, perché non fosse dimenticato quell'ingiusto supplizio.

Palazzo Braschi ▶

Papa Pio VI è l'ultimo pontefice a poter commissionare la realizzazione di un palazzo di famiglia. Il cantiere, che si fa spazio su piazza Navona a seguito della demolizione di Palazzo Orsini, parte nel 1792, ma tra l'occupazione francese (1798) e i problemi economici del duca Luigi Braschi Onesti, le decorazioni del palazzo restano parzialmente incompiute, finché nel 1871 la famiglia non lo vende allo Stato italiano. Vittima di un complicato destino, l'edificio sarà Ministero dell'Interno, ufficio di varie istituzioni fasciste e rifugio di sfollati dopo la Seconda guerra mondiale.

Soltanto nel 2002, dopo un accurato e complesso restauro, diventa la sede principale del Museo di Roma.

Salendo il suo scalone monumentale, l'unico dettaglio che appare nel film *La Grande Bellezza*, si giunge ai tre piani espositivi, dove si snoda la storia di Roma attraverso ritratti di papi, oggetti e dipinti che raccontano le principali cerimonie della città, accanto a fotografie d'epoca che mostrano una capitale inedita (come quelle di piazza Navona allagata). All'ultimo piano è stata ricostruita l'anticamera dell'Alcova Torlonia: raffinati pannelli che decoravano gli appartamenti privati del palazzo che fino al 1903 affacciava su piazza Navona.

Cimitero del Verano

Qui, sotto un temporale estivo, si celebra il funerale di Elisa, il primo e unico amore di Jep, ma il film non racconta la cerimonia. Assistiamo a una concitata conversazione tra lui e Antonio su una delle rampe di scale che percorrono il Cimitero Monumentale di Roma.

In questo luogo si seppellivano i defunti già nel terzo secolo dopo Cristo. L'area, che deve il nome alla famiglia dei Verani, che ne erano proprietari, custodisce le catacombe di santa Ciriaca e la tomba di san Lorenzo. Solo nell'Ottocento viene trasformata da Valadier nel cimitero moderno di Roma, nel rispetto dell'editto di Saint-Cloud, la legge napoleonica che prevedeva le sepolture soltanto fuori dalle mura cittadine. È stato l'unico cimitero di Roma per decenni. Qui hanno trovato sepoltura uomini illustri come Giacomo Balla e Eduardo de Filippo, De Sica e Gassman, Moravia e Togliatti.

Basilica di San Lorenzo in Lucina ▶

Il funerale del figlio di Viola avviene in questa splendida chiesa, che affaccia su una delle piazze più eleganti di Roma. L'esterno non appare, perché la scena si concentra sulle tristi e imbarazzanti esequie di questo ragazzo senza amici, che commuove Jep fino a scioglierlo in lacrime. La chiesa, che risale al IV secolo, è stata completamente risistemata nel Seicento, quando viene collocata sull'altare la *Crocifissione* di Guido Reni.

Terme di Caracalla ▶

Qui assistiamo alla surreale sparizione di una giraffa, grazie all'opera di un mago. Sarà perché la struttura delle terme è talmente imponente, che per valorizzarla serviva un personaggio così alto, che ben si adeguasse alla mole delle sue pareti. Ci troviamo nella Palestra Orientale, accanto al Tepidarium, la sala umida all'interno del percorso termale, nel cuore della struttura. È l'unico ambiente circolare del complesso, dove oggi si possono ammirare alcuni frammenti del mosaico che decorava i soffitti delle piscine e delle palestre. Poggiati maldestramente a terra, quasi dimenticati lì da secoli.

Angelicum ▶

L'udienza della «Santa» con le autorità ecclesia-stiche avviene all'interno del coro della chiesa dei Santi Domenico e Sisto, che appartiene al complesso domenicano dell'Angelicum. Si tratta di un complesso che vede la luce nel Seicento, grazie all'opera di Carlo e Stefano Maderno: un piccolo scrigno di capolavori del Barocco, che in questo ambiente non appaiono. Pregevoli gli stalli in legno e i dipinti, per lo più di autori anonimi, alle pareti.

Scala Santa ▶

La monaca decrepita, che sembra quasi do-ver spirare da un momento all'altro, dimostra in questa scena una forza d'animo eccezionale, mossa dal suo spirito e dalla sua devozione. Lei non rinuncia a salire in ginocchio i ventotto gradini, come vuole la tradizione, mettendone uno dietro l'altro con l'aiuto di braccia prive di muscoli e mani scheletriche.

La «Scala Santa», che in realtà in questo caso è stata ricostruita in postproduzione, sarebbe la stessa che Cristo percorre per andare al cospetto di Pilato e dare inizio alla sua Passione. La trasferisce a Roma Elena, la madre dell'imperatore Costantino, che si era recata in Palestina alla ricerca di reliquie da portare nella città che si stava preparando a celebrare in pompa magna la religione cristiana. Tale è la devozione per questo luogo che papa Sisto V, nel Cinquecento, decide di costruire un vero e proprio santuario, chiamando a lavorarvi alcuni tra i pittori più in voga dell'epoca.

Mister OK
A un certo punto, per pochi secondi, si assiste al tuffo di un uomo nelle acque del Tevere da un ponte. Sorrentino rende omaggio al tradizionale tuffo che ogni primo di gennaio compie Mister OK, che da ventisei anni si getta a volo d'angelo da Ponte Cavour.

Teatro dei Satiri
Il monologo di Romano, il personaggio interpretato da Carlo Verdone, va in scena sul piccolo palcoscenico del Teatro dei Satiri, nei pressi di Campo de' Fiori.

I luoghi

Palazzo Altemps
tel. +39.06480201
archeoroma.beniculturali.it
Piazza Sant'Apollinare, 48

Palazzo Braschi
tel. 060608
www.060608.it
Piazza San Pantaleo, 10

Cannone del Gianicolo
Piazzale Garibaldi

Fontana dell'Acqua Paola
Via Garibaldi

Terrazza della festa di compleanno di Jep
casa privata
Via Bissolati, 5

Appartamento di Jep Gambardella
casa privata
Piazza del Colosseo, 9

Basilica di Santa Sabina
Orario di apertura: tutti i giorni dalle ore 8,15
alle ore 12,30 e dalle ore 15,30 alle ore 18,00
Piazza Pietro d'Illiria, 1

Giardino degli Aranci
Orario di apertura: tutti i giorni dall'alba
al tramonto
Piazza Pietro d'Illiria

Caffè Doney
Via Veneto, 137

Palazzo Pamphilj
Il palazzo ospita l'Ambasciata del Brasile
Per la visita chiamare il n. +39.06683981
oppure consultare il sito internet
www.ambasciatadelbrasile.it
Piazza Navona, 14

Palazzo Sacchetti
Per la visita chiamare il n. +39.0668308950
oppure scrivere un'email ad amm.sacchetti@alice.it
Via Giulia, 66

Palazzo Taverna
Per la visita chiamare il n. +39.066833785
oppure consultare il sito internet
www.aldobrandini.it
Via Monte Giordano, 36

Musei Capitolini
Orario di apertura: dal martedì alla domenica
dalle ore 9,00 alle ore 20,00
Biglietti d'ingresso: intero euro 9,50; ridotto euro 7,50
tel. +39.060608
Piazza del Campidoglio, 1

Santa Maria del Priorato
(buco della serratura dell'Aventino)
Per la visita contattare il n. +39.06675811
La visita è guidata dal personale del Sovrano Militare Ordine di Malta
Piazzale dei Cavalieri di Malta, 4

Palazzo Barberini (la *Fornarina*)
Il Palazzo ospita la Galleria Nazionale d'Arte Antica
Orario di apertura: dal martedì alla domenica
dalle ore 9,00 alle ore 19,00
Biglietto d'ingresso: intero euro 7,00; ridotto euro 3,50
tel +39.064814591
Via delle Quattro Fontane, 13

Villa Medici
Per la visita contattare il n. +39.0667611
L'Accademia di Francia organizza visite guidate alla villa e al parco
Viale Trinità dei Monti, 1

Parco degli Acquedotti
Via Lemonia, 256

Tempietto del Bramante
Il Tempietto è parte del complesso della Chiesa
di San Pietro in Montorio
Orario di apertura: dalle ore 8,00 alle ore 12,00
e dalle ore 15,00 alle ore 16,00
Piazza di San Pietro in Montorio, 2

Salone delle Fontane
Per la visita chiamare il n. +39.0645497500
Via Ciro il Grande, 10-12

Villa Giulia
La villa ospita il Museo Nazionale Etrusco
Orario di apertura: dal martedì alla domenica
dalle ore 8,30 alle ore 19,30
Biglietto d'ingresso: intero euro 8,00 – ridotto euro 4,00
tel. +39.063226571
Piazzale di Villa Giulia, 9

Palazzo della Rovere
Il ristorante dell'*Hotel Columbus* è visitabile tutti i giorni a pranzo
e a cena
Per visitare l'ala del palazzo dove ha sede l'Ordine Equestre del Santo
Sepolcro, chiamare il n. +39.066828121
o inviare un'email all'indirizzo gmag@oessh.va
Via della Conciliazione, 33

Palazzo Brancaccio
Per la visita dei saloni privati chiamare
il n. +39.064873177
oppure consultare il sito internet
www.palazzobrancaccio.com
Viale del Monte Oppio, 7

Cimitero Monumentale del Verano
Orario di apertura: tutti i giorni dalle
ore 7,30 alle ore 19,00
(18,00 dal 1° ottobre al 31 marzo)
tel. +39.0649236349
Piazzale del Verano

Basilica di San Lorenzo in Lucina
Orario di apertura: tutti i giorni dalle ore 8,00
alle ore 20,00
www.sanlorenzoinlucina.it
tel. +39.066871494
Via in Lucina, 16/A

Terme di Caracalla
Orario di apertura: il sito apre alle ore 9,00
L'orario di chiusura varia secondo le stagioni
tel. +39.0639967700
Viale delle Terme di Caracalla, 62

Angelicum
Per visitare la Chiesa dei Santi Domenico e Sisto
chiamare il n. +39.0667021
Largo Angelicum, 1

Scala Santa
Orario di apertura: tutti i giorni dalle ore 6,30
alle ore 12,00 e dalle ore 15,30 alle ore 18,00
www.scalasanta.org; tel. +39.067726641
Piazza di San Giovanni in Laterano, 14

Teatro dei Satiri
www.teatrodeisatiri.it
tel. +39.066871639
Via di Grotta Pinta, 19

I percorsi

Vi suggeriamo quattro itinerari nei quali è possibile organizzare la visita ai luoghi del film.

I primi due sono interamente percorribili a piedi, mentre per gli altri in alcuni tratti si consiglia l'uso di un mezzo di trasporto.

Per visualizzare e scaricare le **mappe dei percorsi** potete consultare la pagina facebook del libro www.facebook.com/425090260956594 (cercare tra l'archivio immagini) oppure visitare il sito internet www.thegreatbeautyrome.com.

Percorso n. 1
Terrazza del Gianicolo – Fontana dell'Acqua Paola – Tempietto del Bramante – Palazzo Spada – Palazzo Braschi – Piazza Navona – Palazzo Pamphilj – Palazzo Altemps – Palazzo Taverna – Palazzo Sacchetti – Palazzo della Rovere.

Se si ha l'intenzione di visitare tutti i palazzi all'interno, si consiglia di dividere questo itinerario in due giorni.

Percorso n. 2
Palazzo Barberini – Via Veneto (*Caffè Doney*, Terrazza della festa di compleanno di Jep) – Villa Medici – Villa Giulia.

Percorso n. 3
Buco della serratura in piazza dei Cavalieri di Malta – Santa Sabina
– Giardino degli Aranci – Terme di Caracalla – Palazzo di Jep Gambar-
della – Colosseo – Scala Santa – Cimitero del Verano.

Percorso n. 4
Palazzo Brancaccio – Angelicum – Musei Capitolini – Basilica
di San Lorenzo in Lucina.

Fuori percorso

Parco degli Acquedotti
Raggiungibile con la linea A della metropolitana, fermata Lucio Sestio.

Salone delle Fontane
Raggiungibile con la linea B della metropolitana, fermata EUR Fermi.